そう書いてあった

益田ミリ

ミシマ社

まえがき

自分に似ている人が世の中に三人いるというが、わたしの場合、

「お母さんにそっくり」

と言われつづけてきたので、すでにひとり目は発見済みである。

アンパンマンに出てくるバタコさんに似ている、と指摘されたこともある。その話をすると、たいていの人が、「あ、似てる、似てる」と納得する。これでふたり目。ちなみに、バタコさんというのは、ジャムおじさんと一緒にパン工場で働いている女性なのであるが、ジャムおじさんも、バタコさんも、どうやら人間ではなく「妖精のようなもの」らしい。

その他、自転車置き場でそっくりな人を見たとか、どこかの駅前に建っている巨大な招き猫に似ているとか、あちこちに、わたしに似た人やモノが存在するようで、その数は三人（つ）をゆうに越えている。

しかし、わたしという人間は、この世にたったひとりしかいない。世界中のどこを探したって、本物のわたしはひとりなのである。

いや、本当にそうなのだろうか。

幼い日。おつかいで行くパン屋までのアスファルトの道に、大きいヘコミと小さいヘコミがあった。それを確認しながら歩いた自分の歩幅を覚えている。中学校の入学式の朝。制服姿で学校に行くのが恥ずかしくて、うつむいて歩いたときのハイソックスの白さも忘れられない。

あの子たちは、あの子たちのままなのではないか。

全員が今の「わたし」に変化したとも思えない。それぞれが、わたしと似た顔で元気に暮らしているような気がする、大人になったわたしの中で。

そう書いてあった＊目次

まえがき　1

I

事件は銀座で　12
ミキサーに◯◯を入れて　15
最後の授業　19
しめて五九九◯円　22
ロールスロイス　27
桃のパフェ　32
夕焼けだんだん　36
ひとり五杯　39

一本おいくら？　43
週末の自動販売機　46

II

お母さん、心配？　52
わたしの手　55
ぽろり、ざらり　58
ひみつのお手伝い　60
お好み焼きを食べながら　64
ありがたみ　66
どうもこうも　70

Ⅲ

皿回し　73
父と映画　79
おかしなパンツ　84
そう書いてあった　87
初運転　90
美しい夢　94
門限のない国で　97
3Dプリンター　101
地球を買って　105

Ⅳ

海外行くまえに　110
グレーゾーン　113
冷たい関係　118
夜のドラえもん　121
ハッスン　126
ロータリー　129
貯められるだけ　133
サラダバー　136
空気を食べる？　140

V

致命的な接客　143
万歩計　147
究極のデザートについて　150
忘年会　155
酉《とり》の市　158
桜日記　164
怖いお店　167
入店前、入店後　171
どこかおかしい　174

小腹がすいたら　178
ノージェスチャー　ノーライフ　180
自分の長さ　184
フォアローゼス　187
ぐいぐい界の人々　193
あとがき　197

装幀＊クラフト・エヴィング商會［吉田浩美・吉田篤弘］
イラスト＊著者

I

事件は銀座で

事件は銀座で起こった。

浴衣《ゆかた》で納涼会というイベントに出席した夜のことである。数年前からつづいている夏の恒例行事で、馴染《なじ》みの顔がたくさん集まった。みな浴衣とあって、貸し切りのレストランは、大いに華やいでいた。

場も温まってきたところで、ひとりずつ前に出ての近況報告となる。席の関係でわたしは二番目。人前で話すと思うと待っている間にどんどん緊張していく質《たち》なので、早い順番はありがたい。気合いを入れて前へ出ようとしたところ、浴衣の袖がテーブルの上のグラスにひっかかる。ガシャンと割れる音が店内に響き渡った。

「ケガは？　浴衣汚れてない？」

不幸中の幸い、グラスの中身は水だった。もしあれが赤ワインだったら……と思うとゾッとした。浴衣と言っても「絹紅梅《きぬこうばい》」の人もちらほら。大人のちょっといい浴衣である。シャリシャリした涼やかな生地で、長襦袢《ながじゅばん》と足袋《たび》を合わせれば夏の着物としても活用できる。わたしも何年か前に仕立て、その夜も着ていたのだけれど、他人様《ひとさま》のものを汚さずに済み、胸を撫で下ろした。

そんな事件を起こしつつも、楽しかった納涼会。

おひらきになり、店の前でみんなと別れの挨拶をしているときに、本当の事件が起こったのだった。

どこからともなく、ススーッとなにかが飛んできて、わたしの「絹紅梅」にとまった。黒くて楕円《だえん》。それは、まぎれもないゴキブリだった。「ヒャッ」とわたしが飛び上がると、そやつは夜の銀座の空へと消えていった。

せっかくオシャレしてきたのに、と恥ずかしさで赤面する。

しかし、友人たちは、

「びっくりしたね、カナブンかと思ったね」

さらりと受け流してくれた。

でも、あんな巨大なカナブン、銀座にはいないと思う。

ミキサーに◯◯を入れて

ペルー料理を食べよう、ということになった。カフェでお茶をしているときに、ペルー料理がおいしいらしいという話題になり、ペルー料理を食べたことがあるという子の家で、ペルー料理を作って食べる会が決定したのだ。

当日。

ペルー料理を食べる会に持っていくお土産とはなにか。

スーパーをうろうろしながら考えていると、果物売り場でメキシコ産のライチを発見。

おっ、ペルーとメキシコ、地理的に近いゾ。ライチを買って友の家に向かった。

「こんばんは、遅くなっちゃった」

ドアを開けるとキッチンで女たちがペルー料理と格闘中。

「大丈夫、まだ、ぜんぜんできてないから」

というわけで、わたしも参戦する。写真も絵もまったくない、手順だけが印刷された渋いペルー料理の本を読み上げつつ、はじめての料理に取り組む楽しさといったら。いったい、どんなものができあがるのか。

「じゃ、ここでコリアンダーをミキサーに入れて」

「はいはい」

「次に、ミキサーに黒ビールを入れて」

「はいはい」

全員の動きが止まる。

「ね、ビールってミキサーかけて平気かね?」

「本に書いてある」

へぇ〜と思いつつ、さらにミキサーにいろいろな食材を投入していると、

「あっ、ごめん、ビールは鍋に入れるんだった!」

あわててビールだけを鍋に流し込む。そうだよね、ビールをミキサーってありえないよね。みなで安堵《あんど》していたら、ひとりの女子がにんまりしながらポツリ。

「でも、ちょっと見てみたかったナ」

わたしもちょっと見てみたかった。ビールの泡、どんなふうになっていたんだろう？　子供時代のいたずら心は消えていないのである。

完成した鶏肉の炊き込みご飯がおいしくて、「世界の料理をつくる会をまたしよう」と、なんにでも◯◯する会と命名して盛り上げたくなる女子の集まりなのであった。

最後の授業

大人になってはじめたピアノ。ちょっとずつ弾《ひ》けるようになってきた。バッハの短い曲をずっと習っていて、新しい先生に替わってからも同じ曲をつづけて教わっている。

三年間ほど習っていた先生が、事情で教室をお辞めになるときは本当にさみしかった。年下の女性だったのだけれど、わたしよりうんと落ち着きがある素敵な先生。毎週、レッスンに行くのが楽しみだった。とはいえ、復習していかないから不出来な生徒である。

そして、先生の最後の授業の日。

「じゃあ、最後に、連弾してみましょう」

先生と並んで演奏することに。

今日くらいはいいところを見せなくちゃ！

と、練習していったのに、思うように指が動かない。

つっかえるたびに、

「大丈夫、大丈夫」

と励まされた。

先生の演奏に引っ張られつつ、なんとか最後まで弾けたときには、もう、鼻の奥がツーン。今にも涙がこぼれてしまいそう。

まったくピアノができなかったわたしに、根気よく付き合ってくださった。ピアノの楽しさを教えてくださった。

思い出すと感極《かんきわ》まってきて、

「あのっ、先生っ、長い間ありがとうございましたっ」

涙を見せまいと、最後は心ばかりのプレゼントを渡してバタバタとお別れのご挨拶。まるで逃げるように帰ってきてしまった。

「だから、先生にちゃんとお礼が言えなかったんだよね……」

この話を友だちにしたら、

「泣いたらよかったのに」

友は迷いなくわたしに言った。

「えっ?」

「泣いたらよかったんだよ。先生、嬉しかったと思うよ」

わたしは、そうだな、そうかもなぁと思った。

伝えそこなった感謝の気持ちは、今もわたしの胸の中でゆらゆらしている。

しめて五九九〇円

大人の遠足だ！

タイトルを付けると、ちょっと特別な感じになるので、友人たちとの間では、なにかにつけて「大人の遠足」だと出かけていく。

今回は東京スカイツリーへ。新聞の旅行広告で見つけた、現地集合解散の気楽なツアーに申し込んだのである。スカイツリーで四時間の自由行動の後、電車と、川下りの船を利用して両国へ行き、江戸前寿司のバイキング。しめて五九九〇円。友だち四人での参加だ。

さて、当日。東京スカイツリーの団体受付フロアに集合する。時間になったら旗を手にした添乗員が来ると言われていたので待っていると、来た来た、黄色い旗を振っている人。

「はい、みなさん、こちらです、後ろに付いてきてくださ〜い」

若い男性の添乗員につづいて歩いていたところ、友のひとりが言った。

「ねぇ、わたしたち、この旅行会社でいいの？」

よく見ると、申し込んでいたところと社名が違う。

しまった、これ、違うツアーだよ！

あわてて引き返したところ、わたしたちのツアーの添乗員が点呼をしているところだった。

一行はスカイツリーの展望台へ。五〇人ほどのツアーだろうか。まずは四時間の自由行動である。

わたしは以前、実家の母と来たことがあるので、スカイツリーは二度目。展望台チケットと浅草でのホテル宿泊がセットになった旅行会社のプランを利用したのだが、母は展望台にのぼったときよりも、ホテルの部屋からスカイツリーを見た瞬間のほうが興奮していた。

「いゃぁ〜、ほんま、すごいなぁ、ほんま、すごい、きれいや」

ライトアップされたスカイツリーを、夜はふたり、パジャマ姿で眺めた。

「ほら、あれが浅草寺やで。そんで、昼間、コーヒー飲んだのはあっちのほう」

わたしの指すほうを見ているのか、いないのか、とにかく母は、へぇ〜、を繰り返していた。

そのとき、わたしが使っていたのは、むろん、大阪弁で、厳密にいうと、自分の母親にだけ使う「娘」の大阪弁である。どこがどう、なにがどうとは説明できない。けれど、確かにそれは、娘のリズムだった。

友人たちとのぼった二度目のスカイツリー。晴れ渡った空の下には東京の街が広がっていた。

遠い未来、この景色を、共に老いた友人たちと懐かしがる日がくるのだと思う。その世界には、もう母はおらず、当然、父もおらず（ふたりともいるかもしれないけど）、わたしの「娘専用の大阪弁」は封印されているのだろう。

展望台から降りると、とりあえずお茶をする。その後、土産物屋をぶらっと見てまわり、再びお茶。四時間の自由時間中、我々四人がカフェでお茶についやしたのは二時間強。結局、おしゃべりが一番楽しいのである。

自由時間を終え、ツアー一行は、隅田川を運航する観光船に乗り込み、両国へ。

「さようなら、また来るね～」

デッキに並び、スカイツリーに手を振る。風に吹かれ、友人たちとそこに立っていたのは、標準語のわたしである。

残すところ、江戸前寿司バイキングのみ。

店に入る前に、友と気合いを入れた。

「これはバイキングじゃないんだよ、戦《いくさ》だよ！」

他チームとの軽い争奪戦はあったものの、おなかいっぱいお寿司を食べ、苦しい、苦しいと、おなかをさすって帰る大人の遠足だった。

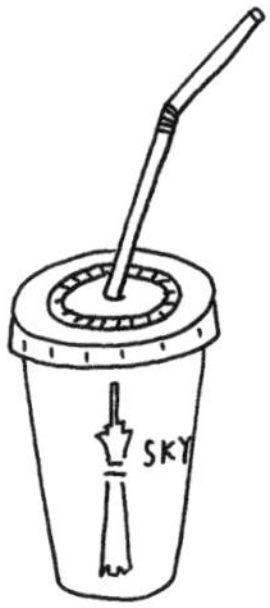
SKY

ロールスロイス

ロールスロイスを買ってしまった。
スニーカー界のロールスロイスと呼ばれている、『ニューバランスM1300』のことである。

歩きやすいスニーカーを買おうと思いたち、原宿に出かけて行った。わたしにはくわしくない世界が山のようにあり、スニーカー界についても、当然、くわしくない。どうせならカッコいいものを履きたいので、原宿という若者の街で買えばいいのではないか？　と安直な行動を取ったわけである。

原宿のスポーツ用品店に入る。

スニーカーがたくさん並んでいる。

わからない。

いろんな形や色がある上に、メーカーもいろいろ。「カッコいいやつください」と言うのはいくらなんでもアレなので、まずは店員さんに普通に声をかける。

「スニーカー買いに来たんですけど」

「何用ですか？」

「たくさん歩きたい感じです」

どういうデザインが好きかと聞かれ、「N」のマークのスニーカーが比較的多く、それがニューバランスというブランドであることくらいは知っていたので、「ニューバランスがいいです」。

よく見ると、ニューバランスにはいろいろ数字がついている。たとえば、574とか、576とか。

「数字が大きいやつほど歩きやすいんですか？」

性能がよいという意味ではそうであるが、人それぞれ足のかたちであるとか、歩き方に差があるので、数字にこだわらず、履いてみて合うものが一番いいと言われる。

では、いくつか履き比べてみよう。

その前に大事なことを聞いておかなければならない。

「ニューバランスってカッコいいですか?」

答えは「カッコいい」とのこと。彼の言葉を信じ、もう突き進んでいく覚悟である。

ニューバランスをあれやこれやと履き比べてみたが、どれも履き心地がよく、最終的には色で決めようか、と思っていたときに、ふと、陳列棚の最上段に飾られているニューバランスがあることに気づく。手描きのポップには、「スニーカー界のロールスロイス」と書いてあった。

スニーカー以上に車のことはわからないわたしであるが、なんだかすごそう、という察しはつく。履かせてもらったところ、ふわっふわっふわっの履き心地である。

「すごいですね、これ!」

「ラルフ・ローレンも愛用のスニーカーです」

ロールスロイスとラルフ・ローレン。ラ行が多いですね。言ってみようか迷ったけれど、ウケない可能性もあるので黙っておく。ちなみに、ラルフ・ローレンは、このスニーカーを履いて「雲の上を歩いているようだ」と、感想を述べたらしい。

感想、と書いて、今、ふいに思い出したのだが、あれは何歳くらいの時だったか。六〜七歳だっただろうか。わたしはピンク色の運動靴をもっていた。ビニールでできたペラペラの代物である。

運動靴には絵が描いてあった。右足が女の子の顔、左足が男の子の顔。それを見た近所の子が、「女の子」の絵がわたしに似ていると言い、「男の子」の絵が幼なじみの男の子に似ていると言い出した。そのせいで、みんなに冷やかされた。とんだ感想である。春の日だった。団地の敷地内の、舗装されていない土の道路の上に立ち、ピンクの運動靴を見下ろしている自分の視線を覚えている。本当言うと、あの時、わたしはちょっと嬉しかった。自分が運動靴の女の子に似ていると言われたことにも、冷やかされた相手が幼なじみの男の子だったことにも。

話は戻り、『ニューバランスM1300』である。値は張るが、歩きやすそうだ。

だが、どうなんだろう。わたしのようなスニーカー界にくわしくない人間が、ロールスロイスだとか、ラルフ・ローレンだとか、そういうキーワードが入っているスニーカーを履いて許されるものか。店員のお兄さんの答えはわかっているものの、ついでながら聞いてみる。

「くわしくない人間が、これ、履いていいんですかね？」

「いいと思います」

というわけで、ロールスロイスを手に入れたのだった。

桃のパフェ

「果物の中で一番好きなの、桃なんですよね〜」

仕事の電話で雑談しているときにわたしが言ったら、

「えっ、ボクもですよ！」

と、意気投合。じゃあ、一週間後の原稿の受け渡しはフルーツパーラーでしよう、そして桃のパフェを食べよう、ということになる。

そして、待ちに待った桃の日。

バタバタしていて、朝食も昼食もとれないまま待ち合わせのフルーツパーラーに行くと、僕も朝から食べてませんと編集者。デザートからはじまる、オシャレかつ、健康を度外視した一日である。

桃のパフェを注文し、待つこと数分。桃のパフェがやってきた。正確に言うなら『おかやま夢白桃のパフェ』である。見るからによく熟している桃が、アイスの上にたっぷりとのっている。

われわれは、これをお城に見立て、どう攻めるべきか、などと食べ進めた。

「わたし、こっち側の桃から落としていって、下の桃は生クリームと一緒にじわじわ攻めます」

「マスダさん、なかなかやりますな」

子供のころ、不思議でしょうがなかった。大人たちって、なにをあんなに一生懸命しゃべっているのだ？

ご近所さんの立ち話。銭湯の脱衣場や、親戚の集まり。寄ればしゃべりつづけていた大人たち。楽しそうに笑い合っているのを見ると、内容が知りたくなって、

「なぁ、なんの話？」

割り込んでいけば、

「子供には関係ないの」

とピシャリ。大人たちの長い長い会話がうらやましくもあり、また謎でもあった。

タイムマシーンに乗って、子供のわたしに会いに行ったら教えてあげたい。

あのね、大人、たいしたことはしゃべってないみたい。

「桃の次に好きな果物は？」

「迷うなぁ、ボクは三つ候補があります、梨か巨峰かサクランボ。うわ〜、決められない」

「わたしは柿ですかね」

桃のパフェを食べつつ、わたしたちがしていたのはこんな会話なのである。

夕焼けだんだん

ちょっとした用事のあとに、時間ができた。

「ね、どっか散歩でもしたくない？」

初夏のすがすがしい夕暮れ。友人三人と散歩しようということになる。最寄りのＪＲの駅で、切符売り場の路線図を見上げて行き先を決める。

「上野公園はどう？」

「日本橋もいろいろ新しくなったらしいね」

「そうだ、夕焼け見に行かない？」

協議の結果、夕焼けを見に行くことになった。

山手線の日暮里駅で降り、谷中《やなか》に向かっててくてく歩く。谷中銀座という昔ながらの商店街の手前に大きな階段があって、そこから見る夕焼けが大層きれいなのである。大きな階段には、「夕焼けだんだん」という名称までついているのだった。わたしは何度か見たことがあるのだけれど、友ふたりははじめてというので張り切って案内する。

「お祭りみたい！」

商店街につくと、たくさんの人がいてにぎやかである。夕焼けにはまだ少し時間があったので、ちらっと商店街を散策する。

「おいしいメンチカツのお店があるんだよ」

行くと行列になっていた。

並ぶ？

と聞く前から、三人とも並ぶ気マンマンである。そして、並びつつ、

「メンチカツもいいけど、アジフライもおいしそう〜」

「あーん、さっき、カレー食べなきゃよかった！」

なんて言っているのだった。

わたしはメンチカツ、友ふたりはレンコンの挟《はさ》み揚《あ》げ。できたてを買って、夕焼けだんだんに戻った。

階段の脇に並んで座り、夕日にむかって食べる揚げもの。

「若者みたいだねぇ」

すると、どこからともなく白黒ブチの野良猫がやってきて、ちょこんとわたしたちの前でひと休み。

「なに、キミも仲間に入りたいの？」

中年三人と猫一匹。夕日に照らされながら、風に吹かれる。

美しいものは、世界にたくさんあるのだろう。その美しいものの中に、この瞬間も入っている、とわたしは思っていたのだった。

ひとり五杯

仕事の打ち合わせであっても、メンバーがすべて女性だと、

「女子会ですね〜」

なんていって、人気のお店で会うことも多いのだった。

つい先日は、ホテルのカフェで女四人、打ち合わせ。全員、アフタヌーンティー・セットなるものを注文する。

まず最初に、ミニサイズのサンドイッチがやってきた。

「わっ、すてき！」

一同、前のめり。自分で作ると思うと面倒くさそう、やらない、やりたくない、という

ものをお店で食べたいわけだから、型抜きしたパイにチーズや生ハムがはさまっているだけで、もう嬉しいのである。

つづいて、焼きたてのミニスコーンが三個出てきた。

「お昼ご飯抜いてくればよかった！」

ひとりが悔しがっている。ちなみに、紅茶はリストの中から自由に選べ、何回でもおかわりができる。

シックな制服の店員さんに質問する。

「あのぅ、この中で一番値段が高い紅茶はどれですか？」

せっかくだし高い紅茶を飲んだほうがお得！という魂胆を、胸に秘めることなく口に出してしまうわたし。どの紅茶も値が張って、俄然、ヤル気が出てくる。

「ひとり最低三回おかわりすれば、モトがとれます、がんばりましょう！」

最後に登場したケーキの盛り合わせを頬張りつつ、もちろん仕事の話をしつつ、紅茶のおかわりも忘れないわたしたち。

お昼を抜いてきたらよかったと言っていた女性が、

「焼き菓子、もう食べられないかも」

残しかけたところ、

「ハンカチで包んで持って帰らないと損ですっ」

残りの三人が大騒ぎ。そうですよね、そうします。彼女はバッグからハンカチを取り出し、お皿の上のマカロンをふたつ包んだ。家に帰るころには粉々になっているのをわかった上で……。

「今日は有意義な午後でしたね！」

飲んだ紅茶はひとり五杯だった。

一本おいくら？

渋谷で映画を観て表に出ると、夜空には満月がのぼっていた。

駅にむかう人々にまぎれ、ひとり、てくてくと歩く。てくてくというより、とぼとぼ。切なかった映画が伝染して、わたしにも切なさがあふれ出していた。

わたしはどんな人生をおくるのだろう？

人生ってなんなのだろう？

一〇代のころのとりとめない気持ちは今も消え去ってはおらず、こういう夜は心もとない。

どこかでお茶でもして帰ろうか。

とも思うが、映画の前にデパートの屋上のベンチで食べたパンのせいで、おなかはいっぱい。カフェに入る気にもならず、歩きつづけた。

孤独というのとは違う。

脱力感でも、からっぽなわけでもない。

ただ、切なかった。そして、この切なさを感じている瞬間もまた、失うことを惜しいと感じているのだった。

切なさのない人生なんて。

「切なさ」にどこかでうっとりしているのである。

よし、こんな日は花屋に寄って帰ろう。豪華な花束を買うぞ。そうだ、バラだ。バラを買おう。いつも選ぶ店頭に並んだ特売のじゃなくて、ガラスケースの中に入っている大きなバラ。

意気込んでお店に入ったものの、やっぱりお値段が気にかかる。

「一本おいくらですか?」

薄いピンクのバラ。ちょっと黄味も混じって、子供のころに食べたアイスキャンディーのような色合い。

「一本四五〇円です」

言われてたじろぐ。ま、今日は花束じゃなくてよいか。

「五本ください」

五本でも、堂々の存在感である。

バラの包みをそっと持ちながら家路につく。途中、立ち止まっては満月を見上げ、あぁ、丸いなぁ、と満足しつつ歩いた。もう「とぼとぼ」ではなく、「のんびり」という感じ。

家に帰ってバラを花瓶に挿《さ》すころには切なさはすっかり影を潜めていた。

週末の自動販売機

「今なにしてる？」

女友だちからのメールを受け取ったのは夜の七時過ぎ。最寄り駅にいるのでご飯でも食べようという誘いである。仕上がった漫画の原稿を郵送しに行こうと、ちょうど玄関先に立っていたわたし。

「一五分後に本屋さんで！」

返信して自転車にまたがった。

春の夜風。

仲良しの友だちと週末の夜ご飯。

楽しい気持ちが加速して、自転車はずんずん前へ進んでいく。ちょっと嫌なことがあってカリカリしていた案件も、なんか、もういいや、どうでもいいや。ペダルを漕ぐ足に力が湧いてきた。

駅前の自転車置き場に自転車をとめ、コンビニで原稿を送ってちょうど一五分。

「おまたせ、なに食べる？」

友と合流し、最近、見つけた小さなカフェへ。

できたて熱々のマッシュポテト、野菜のグリル、海老とズッキーニの大きなピザ。おいしい、おいしいと言い合って、おしゃべりして大笑い。お腹いっぱいと言いつつ、デザートには焼きリンゴ（まるごと一個）のアイスクリーム添え。

「ね、もう一一時まわってるって知ってた⁉」

「ええっ、まだ九時くらいかと思ってた！」

お店を後にして駅にむかっているときに、見慣れぬ自動販売機を発見。なにが出てくるかわからないガチャガチャのようなもので、なんと、一回千円。

「デジカメとか、ＤＳが当たるかもよ？」

よし、挑戦してみるかとふたりでやってみたところ、友にはデジタル縄跳び。跳んだ回数がカウントされるという商品のようだ。いいなぁ、おもしろそう、わたしのはなんだろう？　箱を開けると戦車のプラモデル……。

「わたし、デジタル縄跳びがよかったな」

うらやんでいると、

「今度、みんなで公園行くとき持ってくよ」

とのこと。おそらく、一〇回くらいしか跳べないとは思うが。

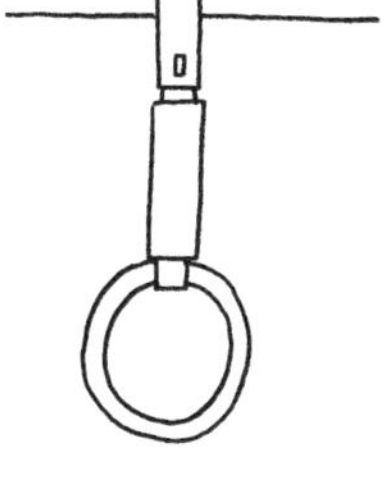

Ⅱ

お母さん、心配？

母が東京に来たので、しばし観光案内。東京駅にある羊羹《ようかん》で有名な『とらや』のカフェに連れていってあげた。

「おいしいなぁ、羊羹ってコーヒーにも合うんやねぇ」

母は感激し、来て早々、お土産にと東京駅限定の羊羹の小箱を五つ購入していた。

鎌倉にも足を運んだ。鶴岡八幡宮までの参道は、お土産物屋さんで大にぎわい。お土産を買うのが大好きな母は、ここでも、クッキーやら、せんべいやら、楽しそうに買っていた。

夜。

レストランで和風定食を食べつつ、ふたりでおしゃべり。互いの失敗談などでお腹を抱えて笑いあう。ふいに、話が途切れたとき、わたしは、いつか聞こうと思っていたことを母に尋ねてみた。

「お母さん、わたし、子供もおらんし、わたしがおばあさんになったとき、心配？」

母は、一瞬、間を置いて「心配」と言った。

作家、夏石鈴子さんの短編集『家内安全』の中に、若い母親が、生まれたばかりの我が子を見て、涙を流すという物語がある。その若い母親は、目の前にいる赤ちゃんが、成長し、老人になることを想像する。すると、不安になってきて、老いた我が子がやがて死を迎える時、こわくないよう、苦しくないよう、痛くないようにと祈るのである。「そして、どうかどうか、その時この子が一人ぼっちではありませんように」。そう思っておいおいと泣くのである。

子供を産んだことのないわたしは驚いた。生まれたばかりの子を前に、もう遠い未来を案じているのだ。

わたしは夜のレストランで母に言った。

「お母さん、わたし、自分が思うように生きてきて幸せやし、もし一人ぼっちで死ぬようなことがあっても大丈夫やで」

母は、

「そうか、そうやな」

と言い、ふたりでデザートのバニラアイスを食べ終えた。

わたしの手

玄関先で母がセールスマンと話していた。わたしが小学校にあがる少し前のことである。

「あんた、こういうのいるか？」

母が本を見せてくれた。わたしはよくわからぬまま「うん」と言った。しばらくして、我が家に子供用の図鑑全二五巻が届いた。

国語、天文と気象、社会のしくみ、機械など、いろんな巻があったのに、手に取るのはそのうちの五巻だけ。

動物、昆虫、魚介、鳥類、植物。

どれも写真ではなく、美しいイラストで描かれていた。

特に、鳥類図鑑がお気に入りだった。このページにいる鳥の中なら、どの鳥になりたいかなぁ。選びながらページをめくる。雄《おす》のほうが色鮮やかな鳥が多くてちょっとつまらなかったけれど、雌《めす》は雌で好感がもてた。

成鳥と一緒に描かれているひな鳥たち。どの子もみな、親鳥のそばにいた。わたしには、遊んでいるように見えた。

「よかったね、守ってくれるから怖くないでしょう?」

いつもひな鳥の心になっていたのだった。

家計に余裕があるわけでもなかっただろうに、母はあの日、思いきって図鑑を注文してくれた。

こんなにたくさんじゃなくてもよかったのに。

家に届いたとき、子供ながらに心配したのを覚えている。

成長するにつれ少しずつ処分したが、今でも手元に「鳥類」と「動物」の二巻を残してある。絵も色あせていない。開いてみれば、紙の匂いも昔のまんま。

小さく感じるのは、わたしの手が大きくなったせいである。

ぽろり、ざらり

年末に風邪で寝込み、実家に帰省したのは明けて五日。特にすることもないけれど、することがないのが実家のようでもあり、テレビを見たり、本を読んだりしてのんびりと過ごす。

バーゲンでも見に行こうかと母とデパートにも出かけた。新しくできたレストランを見つけ、ふたりでお昼ご飯。七〇歳を過ぎる母と食べるのは、チーズた〜っぷりのピザと、トマトのパスタである。パワフルな母を見ていると、わたしもまだまだ、油っこいもの、大丈夫だなと明るい気持ちになるのだった。

パワフルといえば、定年後の父は、毎朝、二時間ほどのウォーキングをつづけている。

「えっ、そんなところまで歩いてんの！」

と、びっくりするようなところまで遠征しており、冬場など、まだ暗いうちに家を出て、歩いてくるらしい。いつだったかは、堤防で野生化したアライグマを見た、とも言っていた。

そんな父が、夕食の席で、ふいに気弱なことをぽろり。

オリンピックの話題になり、日本で開催されるのかな、なんて話していたら、

「もし開催されたとしても、ワシは生きとるやろか」

わたしはとっさに、

「そんなに元気なんやから、大丈夫やろ」

笑いとばしたものの、急にざらりとした気持ちになる。後になって、あれは父にではなく、わたし自身に言ったのではないかと思った。そして、笑いとばしたりせず、聞くべき大切なことがあったような、そんな気がしたのである。

ひみつのお手伝い

「ありがとう、助かったわ」

誰に言われたのかは覚えていない。遊びに行った先の、近所のおばさんだったのかもしれない。

小学校の三年生くらいの頃だっただろうか。

当時、わたしは大きな団地に住んでいて、毎日のように同じ年頃の子供たちと遊んでいた。

団地の敷地で缶蹴りなんかをしていたら、

「おやつ食べるか～」

ご近所さんがいろんなものを振る舞ってくれたものだった。わたしたちは、アイスクリームや、剝《む》いた梨をその家の玄関先でささっと食べ、平らげるとまた走り回って遊んだ。「ありがとう、助かったわ」。わたしにそう言ったおばさんは、子供たちが食べた後の片付けでもしてくれていたんじゃないかと思う。

「歳とると、手がカサカサになってビニール袋が開けにくいんよ」

ぴったりとくっついた新品のゴミ袋に手こずっていた。

「やったるわ！」

わたしは得意になって袋を開いた。おばさんは、

「ありがとう、助かったわ」

と喜んでくれた。

それは、母親のお手伝いをして言われる「ありがとう、助かったわ」とは違うものだった。よその家の人の役に立ったという喜びが幼いわたしの胸の中にあふれてきて、なんともいえない誇らしさだった。

家に帰っても、そのことを母に言わなかった。言ってもよかったのだけれど、言うほど

の出来事でもないこともわかっていて、でも、自分にとってはすごく重要なことだった。

おばさんの役に立ったわたし。

誰かの役に立ったわたし。

自分だけがわかっている、自分だけの「気持ち」だった。

子供は大人にすべてを報告していない。いくつもの言わなかった気持ちとともに、今の自分はある。

そんな、遠い昔の日のことを思い出したのは、買い物帰り、近くの保育園で運動会の練習をしている園児たちが見えたせいにちがいない。

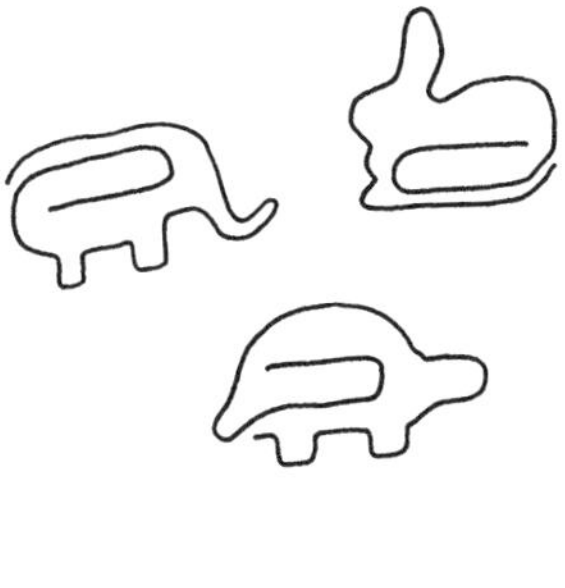

お好み焼きを食べながら

桜も散る頃、仕事で関西に行くことになり、夜は大阪の実家へ。夕飯のメニューはお好み焼きである。

昔はひとり一枚ずつ大きなお好み焼きだったけれど、最近は、コースターほどの小さいサイズ。お腹のふくれ具合を調節しつつ食べられるスタイルを採用しているようである。ホットプレートで、母が作るミニお好み焼き。具はシンプルに豚肉だけ。紅ショウガは多め。父はモダン焼きが好きなので、いつも母にやきそばを挟んでもらっている。

関西での仕事を終え、東京に戻る新幹線の中。家族の会話について考えていた。

お好み焼きを食べながら、わたしは、わたしたち親子はどんなことを話していたんだっけ？

コレ、というのが思い浮かばず、しかし、無言だったわけでもなく、なにかを話していたのである。

去年の夏にささいなことで父と大げんかし、今年の正月は互いに無口のままだった。どちらも自分は悪くないと思っており、どちらも多少は自分も悪かったと思っているのである。

そして、春。

大げんかのことには一切ふれず、食卓でなにもなかったように話していた。笑っていた。そうだ、なんの話だったかは忘れたけれど、みんなで笑ったなぁと思いつつ、新幹線に揺られていたのである。

東京に戻って一晩眠ると、翌日、父が畑でつくった野菜が届いた。母があれもこれもと用意してくれ、宅配便の荷造りをしたのはわたしである。野菜のお礼はいつも言わないまま。冷蔵庫の野菜室に父の野菜をしまった。

ありがたみ

「親のありがたみがわかるよ」

実家を出るとき、いろんな人に言われたけれど、ありがたみどころか、ひとり暮らしは気楽でいいなぁと思ったものである。食事も、洗濯も、掃除も。自分だけなら手間もかからない。

繁華街にあるワンルームマンションだったので、家の前は夜通し明るかった。明るいから、よく真夜中に散歩に出かけた。朝まで開いているハンバーガー店に行き、フライドポテトを食べながら本を読んだ。ぼーっとするだけの夜もあった。

イラストレーターになると宣言して上京したものの、毎日こんな感じだった。会社員をしていたときに貯めたお金が乏しくなるまでのかなりの時間、なんにもしなかったのである。

いや、なんにもしなかったわけでもない。

一日おきくらいにマッサージに行っていた。仕事をしなくても肩は凝った。

あとは、ときどきパチンコもした。当時は機械に百円玉を入れると、百円ぶんだけ玉が出てきた。

「今日は七百円だけやるかな」

手元に小銭を積んで、一枚なくなったらまた一枚と、のんびりしたものだった。

今はもうないけれど、商店街に「メシ道場」みたいな名前の定食屋があって、大きな冷蔵庫にいろんなおかずの小鉢が入っていた。それを自分で取って食べるシステムだった。ご飯、みそ汁、冷や奴、ほうれん草のおひたし。ある日の夕食である。

大阪から上京するとき、「いつでも帰って来たらええ」と、父から新幹線のチケットを数枚手渡された。たまに実家の団地に帰ってみれば、父は「東京はどうや？」としか聞かず、母は「ご飯食べてんの？」としか聞かず、東京に戻る朝には、毎度、二万円を手渡してくれた。ふたりとも、イラストレーターがなんなのかもわからず、けれど、頑固者の長女に何を言っても聞き入れないことも知っているから、急《せ》かさずにいてくれた。ありがたかったなと、折りに触れ思うのである。

どうもこうも

「これ、マンガのネタにしていいよ！」

と、よく言われる。言ってくるのは母である。

先日、実家に帰ったときにも、こんな報告があった。

母の留守中、父がひとりで料理番組を見たそうな。おいしい焼きそばの作り方だったらしく、父は早速、家に帰ってきた母に頼んで作ってもらったわけである。

「どうなったん？」

母に聞いたところ、どうもこうもない、と言う。父は料理のメモなど取っていないので、作り方があやふや。そのくせ、キッチンに立っている母に、背後から「麺に焼き目をつけてひっくり返す」などと、覚えていることだけを伝えるのである。あげく、完成した焼きそばを見て「テレビのとは違う」とのこと。

「だって、わたし、テレビ見てたわけじゃないねんもん！」

母はちょっと怒っており、怒りつつも、この話をおもしろいと思ったようで、マンガのネタにしていいよと教えてくれたのだった。

わたしが家を出てから、かれこれ二〇年になる。たまには帰郷しているが、父と母の毎日は、わたしが知っている時代のものとは別の世界になっているはずである。

定年後の父が、昼間に料理番組を見ている世界をわたしは知らない。

父と母がふたりきりで食事をしている世界をわたしは知らない。

父と母が毎朝ラジオ体操をしている世界を、わたしは知らないのである。

「最近、うちはギョーザをポン酢で食べてるんよ」

夕食の席で母に言われて、妙にさみしくなったこともある。もう、「うち」にわたしはいないのだ。

時間がとまればいいと子供時代はしょっちゅう思っていた。家族もこのまま、わたしもこのまま。ずっとこのまま変わらずに一緒にいられればいいのになぁ。そして、今でも、高齢の親を見てどこかでそう思っているのである。なにも変わらないサザエさん一家がうらやましくなる、そんな日曜日の夕暮れである。

皿回し

自分には、まだまだ秘められた才能があるのではないか？

という思いを、みな、少なからず持っているのであるな。そう確信したのは、新年のお楽しみ会でのことだった。

お楽しみ会といっても、家族がそろったときに、わたしがちょっとした余興をやるだけのことなのだが、割合、いつも盛り上がる。

さて、新春はなにをしよう。年末に東急ハンズに行って検討した結果、皿回し、トランプが小さくなって消えていく手品、お札が空中に浮く手品。この三本立てに決定する。

まずは手品の練習である。

説明書を読み、手を慣らしていく。特にトランプが小さくなる手品は、女の人の手にはちょっと「タネ」が大きいので、観客から見えないようにする注意が必要だ。お札が空中に浮く手品は、「タネ」は単純なのだが、「くっつける」のにコツがいる。練習の末、それなりに人に見せられるようになったので、最後は皿回し。

皿回しなんかすぐにできるだろう。

わたしは過信していた。テレビで芸能人がやっていたりするのを見ては、「自分には皿回しの才能がある気がするなあ。あれくらいできそうやなあ」と、根拠もなく思っていたのである。

しかし、実際に挑戦してみれば、皿はまったくまわらないのだった。皿といっても初心者用なのでプラスチック。落としても割れはしないのだが、こんなに落としていたら、いくらなんでもパキッといくのではないか？　と心配になるほどうまくいかない。

半日東京で練習しても成功せず、帰省し、大阪の実家で紅白歌合戦を見終えた後に練習を再開。披露するのは、一月二日なので、もう時間がない。

深夜、わたしが居間でガタガタしていると、

「なにやってんの」

風呂上がりの母に見られてしまう。お楽しみ会用なので、母にも秘密にしておきたかったのだが致し方ない。

「ちょっと、皿回しを……」

わたしが苦戦している様子を笑いながら見ていた母が、

「どれ、お母さんにもやらせて」

と、立ち上がった。

自分には皿回しの才能があるのではないか？

と、母もまた、この時点では思っているわけである。

「あら、案外、むずかしい」

「そやろ、そやろ」

「アカン、無理や」

しばらくふたりでやってみたが、あきらめて就寝。元日の夜、ようやく奇跡的にわたしが回せるようになったのだった。

というわけで、お楽しみ会当日。

「はい、では、これから手品をはじめますので、みなさん並んでおすわりください」

親と妹ファミリーを椅子に座らせ、拍手を強要する。

「まずはトランプを小さくして、最後は消してみせます！」

音楽とともに（自分で歌う）、手品を開始。

「わ、小さくなってる」

「ほんまや、すごいやん」

なかなかの食いつき。

「つづきましては、皿回しです～」

と、わたしが言った瞬間、

「それ、手品とちゃうやん！」

というツッコミが一斉に入るが、無視してすすめる。

練習の成果もあり、わたしはくるくると皿をまわした。大トリの、お札が空中に浮く手品が一番うまくいったのであるが、もう観衆たちは気もそぞろ。さきほどの「皿回し」を試してみたくてしょうがないのである。そして、余興が終わると皿と棒の奪い合い……。

自分には皿回しの才能があるのではないか？

という思いのもと、次々とチャレンジするが、どいつもこいつもそう簡単にはいかず、

「お姉ちゃん、すごいな！」

ずいぶん後になって、わたしの皿回しは褒められた。

父と映画

今年は週に一本、映画館で映画を見るゾ！

そう決めたものの、なかなか行かれないでいる。それでも、普段の三倍は映画館に通っているだろうか。

小学生の頃だった。父と映画を見に行ったことがあった。我が子のあらゆる学校行事に不参加だった父からの、突然の誘いだった。

ちなみに、あらゆるというのは、入学式、運動会、学芸会、参観日など、本当にすべてである。

そういう場に行って、いろんな人に挨拶したりするのが面倒くさかったのではないか？

大人になってみれば、わたしにもそういうところがあるので、ちょっとだけ父の気持ちがわかるような気もする。

あの日、父に連れられて見た映画は『アルプスの少女ハイジ』。テレビアニメのダイジェスト版だった。

映画館を出た後は、レストラン街で昼ご飯。

どの店がいいかと父が聞くので、わたしは、ショーケースのざるそばセットの見本を見て、ここがいいと言った。大きな海老の天ぷらが付いていた。「子供には食べきれへん！」。いつもだと、母に却下されるところだが、この日、彼女はお留守番。父なら何も言わないだろうと、子供ながらに見抜いていたのである。

妹は隣の店のショーケースを見て、こっちがいいとダダをこねた。わたしはこちら、妹はあちら。互いに譲らずケンカになるのは、我ら姉妹には日常茶飯事。しかし、父にしてみれば、わざわざ連れて来てやったのに、と腹が立ったのだろう。

「ケンカするんやったら、もう帰る！」

元来、短気な男である。大声で怒鳴って、スタスタ歩き始めた。この日は何も食べずに帰ったような気がするし、気を取り直し、三人で何かを食べたようにも思う。忘れてしまった。

ただ、映画館を出た直後の、父の笑顔は覚えている。「おもしろかった！」と、わたしと妹が言ったから、父は笑ったのだ。

映画を見に行くたびに思い出すほどの、愉快なエピソードでもない。ただ、ずっと忘れないでいる思い出のひとつではある。

Ⅲ

おかしなパンツ

あんなおかしなパンツだけは、絶対にはきたくない！

子供の頃、銭湯の脱衣場で、小さな小さなパンツをはいている大人のお姉さんたちを見て思った。

けれど、はくのである。はいちゃうのである。

中学生になると、リボンやレースがついた小さなパンツが欲しくなる。母親にねだって、はじめて買ってもらったときのことを覚えている。お尻もお腹もほとんど隠れないそのパンツをはいてみれば、急に大人になった気分だった。

やがて月日は流れ、今の我がパンツといえば、もはや、パンツなのかどうか微妙な代物になっている。パンツと腹巻きが合体しているのである！

「わっ、あったかそう〜」

お店で見かけ、吸い寄せられるように接近。買って試してみれば思った以上にホカホカだった。おへその上まで隠れて、おまけにお尻もすっぽりつつんでくれる。

今のわたしが、一〇代の頃の自分にひとつだけ忠告できるとしたら、迷わず「冷えとり」だろう。真冬でも制服のスカートの下はペラペラの小さなパンツと、薄手のタイツだけ。授業中は座ぶとんもない椅子であるからして、一日中、下半身は冷え放題。そりゃあ、便秘や肌荒れもするはずである。

残してある高校時代の生徒手帳。学校にはたくさんの校則があった。防寒服装の項目を開いてみれば、「冬季は制服上着の下にセーターなどを着用してもよい」と書かれてあった。「腹巻き厳守」と指導してくれていれば、どんなに助かったことか……。

腹巻きパンツを知ってしまったわたしは、もうミニミニパンツには戻れない。夏場は夏場で、メッシュ素材のアウトドア用パンツを知ってしまったので、これまた戻れない。子供時代の銭湯での誓いが、長い年月を経て守られているようである。

そう書いてあった

捨てたと思っていた日記帳が出てきた。手元に残してあるのは子供時代のぶんだけ。そう思っていたのに、一八歳から二二歳までの五年分の日記がどっさり箱に入っていたのである。

子供なのか、大人なのか。微妙な年頃だから、迷ってそのままにしていたのかもしれない。

せっかくだし読んでみるか。ゆっくり読み返すのははじめてである。

恋にまつわることが大半だった。片思いの人としゃべれた日などは、その会話を、長々とト書きで残してあったりする。

かと思えば、完全に空想の会話もある。

「なに？　話って」

「オレ、お前のことずっと好きやってん」

延々とつづく、自分に都合のいい会話の数々……。処分以外の選択はない。

読み直していて、ふと、あることに気がついた。

この頃、やたらに同窓会ばかりしているのである。中学、高校時代の友人たちとしょっちゅう会っている。二〇歳になり短大を卒業すると、すぐに短大の友だちと同窓会である。

まるで、大人になるのを避けているようだった。

今の自分を忘れないぞ！

必死になっているのが伝わってきてヒリヒリしてくる。

まだ「子供の頃」って言葉を使いたくない。

日記にはそう書いてあった。使ってしまうと、大人の世界に押し出されそうで怯《おび》えていたのだろうか。

結局、自分が何歳くらいから「子供の頃」と口にするようになっていたのかは覚えていない。ただ、日記帳の一八歳から二二歳までのわたしは、頑として「子供の頃」を拒否していたのだった。

今のわたしは「子供の頃」は、もう平気。さらには、「若い頃は……」というセリフさえ、使うようになっている。でも実は、「若い頃は……」は、まだちょっとだけ胸がチクッとする。チクッとするのである。

初運転

道案内を聞くのが好きなのだった。たまに、仕事でタクシーを利用することがあるのだが、

「○○通りから○○通りに出て、○○の交差点を右に曲がった信号の先で止めてください」

仕事先の編集者が運転手さんに道案内をはじめると、うっとりしてしまう。

まるで一編の詩のようだ。これから行く場所の説明は、未来の調べである。

わたしも歌うように道順を口にしたい！

しかし、いざ自分ひとりでタクシーを利用するとなると、

「ずーっとまーっすぐ行って、大きい通りを越えてください」

美しさのかけらもない。

道の名前が覚えられない。当然、交差点の名前もわからない。

「この通りって、こんな名前だったんですね。覚えておこうっと」

後部座席でぽつりとつぶやけば、

「マスダさん、前も同じこと言ってましたけど？」

失笑される。

こんな感じなので、わたしが車の免許を持っていることがわかると、たいていの人に驚かれる。イメージじゃないと言われる。わたしもそう思う。

教習所でも、見るに堪《た》えないありさまだった。短大の春休み中に合宿免許で取りに行ったのに、学校が始まっても合格せず、授業を欠席しつづけた。

免許を取ってすぐのこと。

家の車でドライブにでかけた。苦労の末の、記念すべき初運転だ。助手席には父がいた。

「もっと右に寄って！」

父の地声はもとから大きいのだが、それが二割増しになっている。心配なのはわかるが、ビクッとする。緊張で息がつまりそうだった。

さらに、すれ違いざまの車の運転手に怒鳴られた。

「どこ見とんのじゃ！　ドあほ！」

ポキン（心が折れた音）。

以来、一度もハンドルを握らず二十数年。必死で覚えた道路標識も、今では街中の現代美術である。

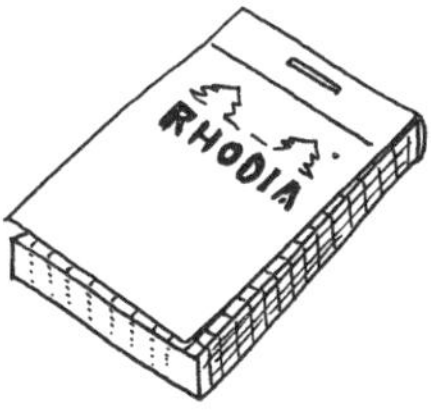
RHODIA

美しい夢

「テレビのマンガは、パラパラマンガと同じような仕組みなんやで」

大人がそう言ってるのを耳にして、小学生だったわたしは、「なるほど」と思ったわけである。

小学校でパラパラマンガが流行した。ノートの隅にひとつひとつずらして描いた絵。それを速くめくり、あたかも絵が動いているように見せる。根気のある子は、教科書一冊分を使って大作を仕上げていた。言われてみれば、テレビマンガの短いバージョンである。

ということは？

テレビマンガ用の本は、とっても大きいにちがいない。番組は三〇分もあるのだ。どのくらい大きいのだろう。バスくらいあるのかもしれない。いったい、それを何人の大人でめくっているのだろうか。

「せーの！」

テレビカメラの前で、たくさんの大人たちがドドドドッとめくっていく。

わかったぞ。

途中でコマーシャルが入るのは、休憩時間なのだ。お茶を飲んだり、トイレに行ったり。大きな大きな本の横で、汗だくになった人々が、座って休んでいる姿が見える気がした。そしてコマーシャルが終わると、再び「せーの！」がはじまる。

大変な仕事である。でも、ちょっと楽しそうだ。わたしは憧れた。

こたつの天板のゴミを取る仕事にも憧れていた。

今のこたつの天板事情には明るくないが、昔の天板には縁取りみたいなのがあった。そこにたまるゴミを爪楊枝《つまようじ》で取るのが大好きだった。しゅーっと一周すると、爪楊枝の先に黒いゴミがついた。

「お母さん、あたし、大きくなったら、こたつのゴミ取る人になるわ」

母は「助かるわぁ」と言った。

うどんを切る人になってもいいとも思っていた。

魚釣りに行く前、父はゆでたうどんを小さく切っていた。魚のエサにするのである。うどんを小さく切り、コーヒーの空き瓶に入れるのは、たいそう、魅力的な作業に見えた。いつか、仕事にしたいと思った。

わたしの夢は、むろん、どれも叶わなかった。思い出すたびに、本当に美しい夢だったと思う。

門限のない国で

映画のレイトショーというものがある。夜の九時くらいからの上映で、終わるのが一一時過ぎ。楽しくて、ときどき行っている。

映画後だと遅くなるので、夕飯はいつも映画館の中。なので、レイトショーへ行く日は、日没になると気もそぞろになってくる。

なにを食べようか、と思いながら準備をし、八時くらいにデパートに着くよう家を出て、地下の食品売り場へ直行。いわゆる、デパ地下というものである。

最近は海外からの観光客がデパ地下にもたくさんいて、みな、興味深そうにショーケースの中をのぞいている。

幼いときに自分だけでしていた遊びの中に、外国の人になって景色を見る、というのがあった。

電車に乗っているときなど、

「わたしは、はじめて日本にやってきた外国の人で、目の前にある景色は外国なんだ」

そう思って街を見てみれば、ものすごく新鮮だった。

工場の看板や、道路を走っているバス、小学校の校舎、黒い瓦屋根の家々。

これが日本なんだなぁ。そんなことをひとりで思って眺めていた。

今も、外国から遊びに来たつもりでデパ地下を歩いてみることがある。

するとどうだろう。すべてにハッとするのである。たこ焼き屋さんも、お煎餅屋さんも、おにぎり屋さんも。世界にはいろんな食べ物があるのだなと、立ち止まっては、いちいち感心。

鮮魚コーナーに行けば、威勢のいい声が飛び交っている。

「いらっしゃいっ、いらっしゃいっ、安いよ!」

普段からいい声だけれど、異国の地ではじめて聞く声だと思えば、ますますかっこいい。外国の人になったつもりのわたしは、あっちこっちで、感動しているのだった。

そんな遊びをしつつ、パンや総菜などを買ってレイトショーへと向かう。

門限のない大人という国に辿り着けて、本当によかったと思う。映画は何時に見てもいいのである。

3Dプリンター

自転車が世界の暗さを判断している。

自らライトを点《つ》けたり消したりしている。

ある夜、自転車をこいでいるとき、ふいに感動したのだった。暗くなると、ライトが勝手に点灯する自転車など、当たり前のようになっている世の中だが、考えてみれば、よくぞ、作れたものである。

「めちゃくちゃ小さいテレビがあったらええのにな。歩きながら見られるくらいの」

子供の頃、親戚の家から帰る道すがら、わたしは隣を歩いている親に言った。

その日は土曜日で、大・大・大好きな「8時だョ！全員集合」が放映されている時間だというのに、駅に向かって歩いていたのだ。

父は言った。

「そんなテレビはできひんし、できたとしても、そこまでして見んでもええ」

わたしはこのとき、父が「そんなテレビはできひん」と断言したのを、大人になるまで忘れないでおこう、と思ったことを覚えている。未来には、きっと、あるはずだ。

「ほら、できたやろ、小さいテレビ」

いつか父親にそう言うぞ、と考えるようなしつこい子供だったとも言える。

未来になり、小さいテレビは、やはりできた。小さい電話（ケータイ）で見られる。自転車のライトは勝手に点灯し、３Ｄプリンターなるものまで登場した。

３Ｄプリンター。

立体をそのままコピーできるのだそうだ。３Ｄコピーで作った車で実際に走行したという新聞記事も読んだ。

「３Ｄプリンターで、最初になにコピーしてみたいですか？」

雑談中、仕事先の男性に聞いてみた。

「とりあえず、自分の手ですかね」

「それどうするんですか？」

「自分の手だなぁ、と思って見ます」

　３Ｄプリンターを使って、商売になりそうなことについても語り合う。

「わたし、お弁当がいいと思うんです」

「お弁当？」

「卒業間近の高校生の子供に最後に作ってあげるお弁当。これを３Ｄコピーして思い出商品ってどうですかね」

　家に帰ってからも、しばらく考える。

　生まれたばかりの赤ちゃん、というのはどうか。遠くにいてすぐには会うことができない赤ちゃんの祖父母のために、コピーを送ってあげるのだ。

「まぁ、なんてかわいらしい！」

　おじいさんとおばあさんは、３Ｄ孫に服を着せ、ご近所さんに披露できたりもする。でも、どうだろう、怖いだろうか、箱を開ける瞬間。

まだないけどあったらいいもの、についても考える。

しかし、わたしが思いつくようなものは、すでに存在するのかもしれないし、作っている最中ということもあるが、今、とりあえず欲しいのは、空飛ぶカバンである。

あれやこれやとカバンに入れて持ち歩いていると、肩が凝るし、腰にもくる。スーパーで買うキャベツや大根もかなりの重量だ。カバンがふわふわ浮いてくれたら、身軽でよいなぁと思うわけである。

カバンのまわりが風船みたいになっているとか？

磁石のN極とS極みたいに、地面とカバンが反発し合って浮くとか？

気分的には、プールで使うビート板のように、前に抱え、もたれかかりながら歩けるカバンがあるとありがたいのだけれど……。

タイムマシーンがあったら、過去と未来、どちらに行きたいか、という質問には、わたしは断然「未来」と答える。そして、未来に行って、こうつぶやくのだ。

「ほら、できたやろ、空飛ぶカバン」

地球を買って

店に入ったら地球が売っていた。地球を投影するおもちゃである。大きさはテニスボールほど。プラスチックのような固いものでできている。球体の底に銀色のポッチがついており、そこが水に触れると自動的にＬＥＤライトが点灯。地球の絵が浮かび上がるらしい。説明はそうなっていた。

家に帰ると、早速、小皿に水を入れてのせてみた。いそいそとキッチンの電気を消す。冷蔵庫の上に、ぼんやりフライパンサイズの青い地球が映し出された。

冷蔵庫の上の地球。

まるで詩のタイトルのようである。

そういえば、小学校二年生の国語の授業で、はじめて作文というものを書かされたのだが、わたしのは作文ではなく「詩」だと言われ、涙したことがある。

作文とはいかなるものか。わたしは例によって、先生の説明を聞いていなかったのだろう。

「じゃあ、みんな書いてみて」

先生はそう言った後、いなくなった。用事で職員室にでも行ったのかもしれない。

わたしは書きはじめた。なにを書いたのかは忘れたが、突然、隣に座っていた女の子に間違いを指摘された。前の席の子も、後ろの子も参戦してきて彼女に同意しはじめた。それは作文ではなく「詩」だと言われた。わたしは、「。」と「、」が出てくると、当然のように改行していた。たとえばこんなふうに。

わたしはきのう、
学校のかえりに、
犬を、

見ました。

作文は「、」や「。」のたびに、次の部屋に行ってはいけないらしい。それは「詩」のみに許されている特権らしい。

早く消して書き直さなければ。

涙で原稿用紙が見えなくなった。泣きながら消していたら、斜め後ろの男の子が、

「別にそれでもええんちゃうん」

と言い、やがて誰も正解がわからなくなった。教室がガヤガヤしはじめたときに先生が戻ってきた。その後のことは覚えていない。

冷蔵庫の上の地球はもうわかったので、のちほどお風呂で試すことにした。本来、そういう商品なのだ。

そしてバスタイム。地球を手に浴室へ。電気を消し、湯船の中から天井の地球を見上げる。

しかし、どうなんだろう。わたしは、一体、どういう目線で地球を鑑賞しているのか。宇宙飛行士のつもりなのか？

「青い地球よ。あの星にはわたしの愛する人々が暮らしているのだ」なりきろうとしてもちょっと無理があった。シリーズ商品に「月」もあったので、もしかするとあちらのほうがしっくりきたのかもしれない。

その夜、寝室でも試してみた。布団から見上げる天井の地球。いつの間にか眠りにつき、荷物の棚に押し込まれる恐ろしい夢を見た。イヤな夢はよく見るほうなので、地球のせいではないと思う。夜中に目覚めたが、急いで目を閉じた。天井を見るのが、なんとなく怖かったのである。

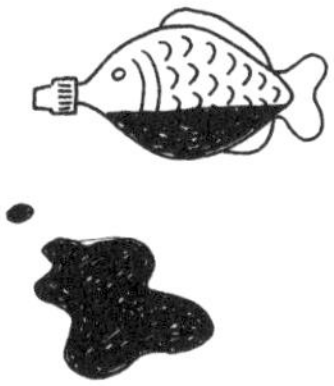

海外行くまえに

仕事で海外に行くことになる。

いくつかの連載の仕事を早めに仕上げておくことにしよう！

出張前に張りきっていたところ、張りきり過ぎたせいか、週刊誌の連載を、間違えて一カ月ぶんまるごと二回描いてしまっていた。もともと、わたしは原稿を渡すのが早くて、週刊誌の仕事などは三カ月先くらいまではできているのだけれど、その二回描いたぶんを繰り越していくと、さらに先まで仕上げたことになった。

九月の時点で、すでに来年の一月分の原稿も完成……。飛行機で目的地に向かいながら、もし、この旅でわたしになにかあったとしても、連載だけは年を越してつづいているのかもなぁと、不思議な気持ちだった。

海外に出るときには、普段の生活で銀行の引き落としになっているものがわかるようメモを残しておくようにしている。新聞代、スポーツジムのお金、月々四一九〇円の医療保険、そういうものである。あとは、携帯電話やインターネットの解約のことなど。万が一に備え、わかりやすいよう箇条書きにして机上に置いておく。部屋の隅にだらしなく積んである資料の山を片付けるほうが先決なのではないか？　と思うものの、それはまぁいいかと毎度そのまんま。捨てれば済むものである。

と、わりと準備がいいタイプなのではあるが、親のこととなると避けているのだった。

お正月、実家に帰ったときなどに、ふいに母から、

「お母さんとお父さんが死んだら、お墓はもうあるから、お寺の連絡先は……」

などと改まって切り出されると、

「ふたりとも、まだまだ元気なんやし、今聞いても忘れるわ」

はぐらかして逃げてしまう。

本当は聞いておいたほうがいいのだろう。

でもきっと、ふんふんとあいづちをうっているうちに、悲しくなってくるにきまっている。

親の前ではいつまでも小娘のわたしだった。

グレーゾーン

横断歩道の白い部分だけを踏んで渡らなければならなかった。通学路でのことである。靴が白い部分からはみ出てしまうと、良くないことが起こるらしい。

「それ、うちもあったよ」

出身地の違う何人かの友だちもまた、似たような横断歩道ルールがあったと言っていた。白い部分ではなく、グレーの部分がダメなのも共通である。

小学校の高学年にもなれば、これは遊びの一種だと理解できるのだが、低学年は、もう必死。わたしは、毎朝、それはそれは慎重に白い部分だけを踏み、下校のときもぬかりはなかった。

良くないことが起こる。

それはどういう類《たぐ》いのものなのか。

おばけがやってくるのか？

ある朝、ついに答えがわかった。横断歩道のグレーの部分で、大きな亀がぺっちゃんこになっていたのである。固いであろうはずの甲羅がこなごなになっていた。恐ろしかった。それは、とても、良くないことだった。

と、同時に、

「亀、横断歩道、渡ったんや」

そこにも驚いた。

ゆっくりだから間に合わなかったのだ。あと少しで白い部分だったのに。そう思うと、かわいそうでならなかった。

誰かの家で飼っていた亀にちがいない。今頃、心配して探しているのかな。もやもやした気持ちで学校に行った。

授業が終わって帰る頃には、ぺっちゃんこの亀は、もういなかった。誰かが処分したらしかった。でも、グレーゾーンに亀のシミが残っていた。それは、こなごなの甲羅を見たときよりも、なぜか、わたしを怖がらせた。

良いことが起こるルールもあった。

一日のうちに黄色いワーゲンを三台見られれば、良いことが起こることになっていた。休み時間になると、生徒たちは教室の窓辺に並び、ひたすら道路を見張っていた。

良いことは単純だった。どんな些細《ささい》な良いことでも、

「ワーゲン三台見たからや」

と思うことができた。

黄色いワーゲンルールのすごいところは、人に「あげられる」という点だった。三台以上見た子は、余分を友だちにあげてもよかった。足りなかった子は、もらってめでたく三台になった。

愛や友情。

大切なものは目に見えないと大人は教えてくれたけれど、あの頃のわたしたちは、脳内

の黄色いワーゲンを、あっちこっち、気軽に動かしていたのである。

今でも黄色いワーゲンを見かけると「お、」と小さく反応してしまう。横断歩道のグレーゾーンは、もうそしらぬ顔で渡っている。

冷たい関係

真夜中、パソコンにメールが届いていることに気づく。きっと、遅くまで編集部にいる編集者からにちがいない。ひょっとして、編集部に住んでいるのではないか、というくらい、いつも会社にいる編集者も多いので、メールが何時に届こうと、もう驚かない。すぐにメールをチェックする。

仲良しの女友だちからだった。最近、ハマっているというアイスクリームの写真が添付されていた。「きんつば」アイスだそうだ。「もなか」のアイスは知っているが、「きんつば」までアイスになっていたとは知らなかった。早速、今度は、わたしが今、ハマっている、期間限定の栗アイスの情報を彼女に送信した。

子供の頃、大人が夜中の三時に、友だちとアイスクリームのことでメールをしあうなんて想像もしなかった。そもそも「メール」自体がなかったわけだけれど、それを差し引いたとしても、大人とは、もっと深刻な話をするのだと思っていた。

大人。

大人になると、きっと心が汚れてしまう。

そう信じていたわたしは、だから大人になりたくなかった。大人は嘘つき。大人は都合のいいことばかり言う。大人は、もう将来の夢を見ない。大人なんかつまらない、大人、嫌い。

しかしながら、こうして大人になってみれば、どうなんだろうか、わたしもやはり汚れてしまったのだろうか？

かわいらしくアイスクリームの話もするけれど、冷静に考えると汚れたように思える。ユニホームだって、使いつづければ、色あせ、ほつれてくる。それと同じで、蹴つまずいたり、すっ転んだりして生きているのだから、人間だって同じではあるまいか。

荻原浩さんの小説『オロロ畑でつかまえて』の中に素敵なセリフがある。

「すべてをなくしても、俺には俺がいる」

そうだ、いつだって、わたしにはわたしがいる。汚れたくらいなんともなーい。真夜中に再確認し、もう寝ることにした。

夜のドラえもん

その夜、映画館は大人でいっぱいだった。

レイトショーである。子供たちは眠る時間である。大人ばかりなのは当たり前なのだが、妙な光景に見えるのは、上映される映画がアニメだったからである。

3Dで『ドラえもん』の映画を見られるというので、友人たちと出かけて行けば、

「こんなに混んでるって思わなかったね！」

周囲を見回しながら、心が弾んだ。

『ドラえもん』の漫画をよく読んでいたのは、小学校の高学年だった。教室にある本棚には、生徒たちが家から持ってきた本を置くことができ、休み時間は誰でも自由に読んでよ

かった。

小説も、なぞなぞ本も、怪談本もあった。そんな中、一番、本棚の幅をとっていたのが『ドラえもん』の漫画である。新刊が出るたびにひとりの男子がコツコツ追加してくれていた。思えば、なんと太っ腹な子だったのだろう?

主人公のドラえもんに頼りっぱなしの、少年、のび太くん。遅刻を助けてもらったり、壊したものを元どおりにしてもらったり。

うちの家にもドラえもんが来てくれて、いろんな面倒なことを解決してくれないかなぁ。あの頃、クラス中の誰もが、のび太くんをうらやんでいたのだと思う。

そして、うらやましいなぁと思うまま大人になり、こうして夜の映画館に集結したのであろう。

映画の中で、のび太くんは未来へタイムワープし、大人になった自分に会う。そして、ドラえもんも一緒に過去から来ていることを告げるのだけれど、大人ののび太くんは、少し考えた後、ドラえもんは僕の子供時代の友だちだからと、会わずに去っていくのである。

それを見て、わたしは、もう、胸がいっぱいに。

そうなんだ！　わたしにとっても、ドラえもんは子供時代の大切なお友だち。懐かしさとか、切なさで、目頭が熱くなった。

３Ｄメガネを外して映画館を出た。

「ね、冷たいビール、一杯飲んで帰ろうか」

「いいねぇ」

遅くまで営業しているホテルのカフェへ。しっとり落ち着いた雰囲気である。

冷えたビールが運ばれてきた。

「あ、そうだ」

おもむろに、さきほどの３Ｄメガネをかけてみた。

「ふふふ、ほら見て、サングラス」

足を組み、わたしは微笑んだ。

「お、かっこいいねぇ」

「そお？　じゃ、しばらくかけとこ」

ドラえもんのいない世界で遊ぶ、大きな子供たちである。

Ⅳ

ハッスン

ごちそうするのはとても難しい。

忘年会を兼ね、「たまにはごちそうさせてください」と、仕事でお世話になった若い人たちをお誘いしたのはいいものの、さて、どうしよう。せっかくだし新しいお店がいいかなと、新装したホテルにあるお寿司屋さんに電話してみた。寿司屋の予約なんて初めてだったから、無事に予約できたときは、感無量である。

さて、一〇日ほどが過ぎた食事会当日。ホスト役だし、ここはやはり、予約ができているか再度、確認しておこう。出かける前に電話を入れた。

「あの、今日の夜、予約しているマスダと申しますが」

「七時三〇分から四名さまで、すし懐石をご予約のマスダさまですね？」

素晴らしい応答のおかげで、言うことがなくなってしまった。

「今日はよろしくお願いしますっ」

あたふたと電話を切る。

そんなこんなで、夜には女子四人が寿司屋の個室に集まった。

そうそう、最初の予約の電話のときに料理の説明があり、その中に「ハッスン」という聞き慣れないものがあったんだった。

一体なんだろう？

わくわくしていたところ、八寸といって、八つの小さな器にいろんな料理がちょこっとずつ入っているオードブルみたいなものだった。

コースの最後はもちろんお寿司。おいしかったですねぇ、お腹いっぱい。食べ終えてまったりしていたら、

「そろそろお時間ですので」

とお店の人。

「じゃ、お会計……」

わたしが言いかけたときには、すでに年下女子が財布片手にレジのほうに走っていた。わっ、わっ、と慌てて追いかけ、ここはわたしが、いえいえこちらでと押し問答。なんとかわたしが払うことができたけれど、もう少しで、「寿司屋を勝手に予約し、おごってもらう人間」になるところだった。ごちそうするのはとても難しい。

ロータリー

終電まで一時間ほど。

小さな宴会の後、駅にむかって歩いているときに友が言った。

「まだ時間あるからお茶でもして帰ろうか」

「行こう、行こう」

女三人、話し足りずに一行からそれてカフェへと向かう。しかし、お目当ての店はちょうど閉店。さて、どうしよう。

「ちょっと歩くけど、あの店は？　ほら、ライオンキングみたいな名前の店」

「キラキラした感じの名前じゃなかった？」

ふたりの友はどうやら共通の店を言っているようだが、名前が出て来ない。わたしが首をかしげていると、

「ミリちゃんとも行ったことある店だよ」

とのこと。

ライオンキング？　キラキラした名前？

最近、名詞が出て来なくなったという話題で盛り上がりつつ歩いていると、わたしも、ようやく店の存在を思い出した。たしか、「ロ」が付いたような……。

「わかった！　ロータリーじゃない？」

正解は「ロータス」だった。ライオンキングとか、キラキラした名前ってなんだったのだ。

深夜だというのに店内には大勢のお客さん。案内されてテーブルにつく。ピンクの壁がかわいらしく、ミュージカルの舞台のようにキラキラした感じがないとも言えない（ということにしておく）。

「若者たちでいっぱいだねぇ」

昔、よくここに来ていたときには言わなかったセリフが自然にこぼれた。

健康のため、冷たい飲み物はあまり飲まなくなったが、

「なんかさ、冷たいもの飲もうかな」

三人ともそんな気分。テレビで人気の芸人さんがこの店の「アップルミントソーダ」がおいしいと言っていたことを思い出し、全員でアップルミントソーダを注文する。生のミントがたっぷり入って爽《さわ》やかなおいしさだった。

たくさんしゃべって、楽しく帰る真冬の夜道は、寒かったけれど、温かだった。

貯められるだけ

今食べているものではない食べ物の話ばかりしている。

友人たちとご飯を食べに行くとする。すると、毎度毎度、会話は食べ物の話に流れていく。

ついこの間もそう。おいしいパンケーキ屋さんでおやつをしているときに、

「こんな本買ったよ」

旬の果物を使う料理本を買ったので、みんなに見せたところ、

「なにこれ、めちゃくちゃおいしそう！」

三人の友が前のめり。頭を突き合わせて料理本をのぞきこむ。

「ちょっと、この桃の春巻き見て」

「柿の白和《しらあ》え、なんてのもあるよ」

「おいしそう、ね、今度さ、誰かん家《ち》で、果物のおかずを食べる会しようよ！」

いいね、いいね、と話が弾む。

「ね、今度さ」という言葉が自分の口から、または友の口から出るたびに、楽しい気持ちになる。と同時に、どこかちょっとさみしくて、そのさみしさとは、少しずつ減っていく自分の未来を感じるからである。

一年がびっくりするくらいはやい。

大人たちが、そんなことばかり言っているのが、子供のわたしには不思議でならなかった。一年は、とてつもなく遅いものだった。けれど、ようやく、今になって謎が解けた。「はやい、はやい」と口に出すことによって、さみしさを静かに分かち合っているのである。

パンケーキを食べ終えて店を出た。

雨が強くなりそうだから早く帰らねば。駅にむかっていたところ、このへんにおいしいポルトガル料理のお店があるんだよ、と友が言う。

「お店、見てみよう」

雨の中、わざわざみんなで店を見に行き、ショップカードをもらっておく。「ね、今度さ、予約して来ようね」。

日々、どんどん貯まっていく「ね、今度さ」。貯まったぶんを使い切れないうちに人生が過ぎてしまうのだろうが、貯められるだけ貯めればいいのだ。

サラダバー

食べたことのないものを食べよう！

ということになり、ブラジル料理屋さんへ。今、すごく人気のお店らしく、六時からなら予約が取れるとのことで、大人ふたり、かなり早めの晩ご飯である。

案内されて席につくと、まずはこの店のシステムの説明がはじまる。

店の中央には大きなサラダバーがあり、おかわりは自由らしい。ふむふむ。店員さんたちがいろんな肉料理を持ってテーブルをまわってきてくれるので、食べたいものがあったら好きなだけ取り分けてもらえるらしい。ふむふむ。要するに食べ放題である。

わーん、楽しそう！

説明が終わると同時に、まずはサラダバーコーナーに突進する。生野菜だけではなく、バナナのフライなんていうものまである。

「どうしよう、すごい楽しい～」

思わずひとりごと。

すると、隣でサラダを盛り付けていた知らない女性が、

「わかる、楽しいですよね～」

と同意してくれ、その隣にいた彼女の友だちも、

「豪華なサラダバー大好き！」

あれやこれやとお皿にのせて席に戻ると、

「お知り合いがいたんですか？」

と男性編集者。この夜は、仕事の打ち合わせを兼ねての会食なのである。いえいえ、大人になった女子は、知り合いじゃなくても気軽にしゃべっちゃうのですョ。

次々とまわってくる肉料理を食べつつ、新しい仕事の話。

「それで、マスダさん。このふたつの原稿だと、今、どちらをやってみたいですか？」

「選べるんですか？」

「はい」

「えっと、わたし、両方やりたいです。あ、ちょっとサラダバー行ってきます。あれ？　行かないんですか？　一回だけじゃもったいないですよ？」

その夜、体重を計ると一キロ増。そりゃそうだろう。

空気を食べる？

食パンを食べた。

銀座で食パンを焼いて食べたのである。

自慢の焼きたて食パンを出すという話題のレストラン。

「もう行かれましたか？」

編集者からメールが届き、すぐさま仕事の打ち合わせ場所に決定。パン好きである。ランチタイムにいそいそと出かけて行った。

店内にはずらりとトースターが並んでいた。焼き上がると食パンが飛び上がるタイプのトースターである。いろんなメーカーのものが集められており、好きなデザインを棚から選んで、自分たちのテーブルで焼くという愉快なシステムだ。

我々が選んだのは、食パンの焼けていく様子がガラス越しに見えるトースター。日本に数台しかない貴重なものらしく、銀色でピッカピカ。他に赤や黄色のカラフルなトースターもあり、店内を見回すと各テーブルの上が華やいでいた。

ほどなくして、食パンが三枚運ばれて来た。種類が違うらしく、食べ比べできるセットである。ジャムや蜂蜜も付いてくるので、食パンだけをむしゃむしゃ食べるわけではない。バターだけでも三種類。

「値段の高いのから減っていくのが恥ずかしいですね」

「たしかに」

普段は手が出ないフランス製の高級バター。ふたりとも、ものすごく自然にそのバターから使っているのである。

子供のころは、バターに種類があることすら知らなかった。知らないままでも充分だったのに、大人になると、知っていることを笑い話にできていた。

食パンはとてもおいしかった。でも、本当においしかったのは、話題の店で食パンを食べているときの空気なのである。

致命的な接客

〈おもてなし〉ができない。

お客さまをお迎えしてうちでご飯でも食べようということになったとき、わたしは上手なもてなしができない体質なのである。

客人たちがゆったりしていない。

致命的な接客である。

なぜ、そんなことになってしまうのか。

わかっている。世話を焼きすぎるのである。

「あ、お酒まだ入ってますか？　ワインのほうがいい？　焼酎もあるけど」、「お肉足りてる?」、「パン、もっと切ろうか?」、「そっち、サラダ、届く? こっちにピクルスもあるヨ!」。

なんやかやと世話を焼きまくり、そのせいで会全体がものすごく落ち着かない雰囲気になっている。

もちろん、それは後で冷静になってから思うわけで、宴会の最中は、もういっぱいいっぱい。

もともと、お酒に強くないから、お酒を飲む人たちの「飲み配分」がわからない。やたらとすすめるせいで、みな飲むペースが速くなっている。

あとは、自分が普段からよく食べるので、みんながちゃんと満腹になっているかどうかも心配。あれもこれもと取り分けたせいで、

「ミリさん、ボク、あんなにご飯食べたの、生まれてはじめてくらい食べました」

という事後報告があったことも……。

好きに飲んで、好きに食べればいい。

頭ではわかっていても、過剰な、〈おもてなし〉をしてしまう自分が止められない。

ホスト役がリラックスしていないと、客人もリラックスできないんだなぁ。

お呼ばれをしたときに、自分がリラックスしている状況を考えると、そう思う。場の空気は、ホスト役からゆるやかに伝染していることに気づくのだ。

まだまだである。名ホスト役への道のりは、とても険しい。

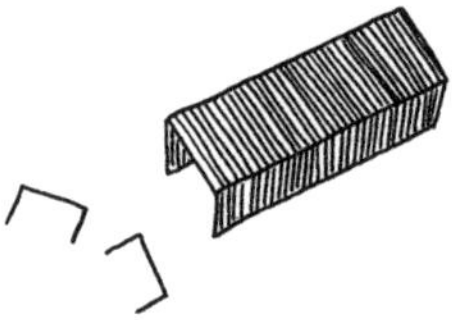

万歩計

甘党である。毎日、必ず甘いものを食べている。

しかしながら、こういうことをつづけていると体重は加算されていくわけで、そんなわたしの前にスリムになった知人が現れた。

「毎日、一万歩、歩いてるんですよ」

万歩計をつけて生活し、数字が一万歩に達しないときは、遠回りして家に帰るのだそう。これを日課にして痩せたと言う。

早速、安い万歩計を買って試してみる。そして、夕方、万歩計を見てびっくり。七八〇歩。自宅が職場なので、ほとんど歩いていないのである。

「だから、今、がんばって歩いているんです」

という話を、わたしは会食の席で披露したのだった。本を出版した後は、たいてい編集者が「打ち上げ」の食事会を開いてくださり、この夜、わたしたちはおいしいイタリアンを食べていたのである。

ところで、その出版になった本とは、高齢の両親と暮らす中年の娘の日々を綴った漫画なのだが、登場人物たちも甘いものをよく食べている。おはぎ、大福、草団子。作者（わたし）が甘党のせいで、彼らも甘党。なのに、ちっとも太らないのがうらやましい。それに引き換え、作者は万歩計の数字に四苦八苦……。

などと、会食の席で嘆いているところに、最後のデザートが運ばれてきた。

おいしそう！　このアイスは何味だろう？

デザートを真剣に覗き込んでいると、妙な空気に。ふと、顔を上げてみる。同席の三人の編集者がポカンとしていた。再度、よーくデザートを見てみれば、真っ白なお皿のふちに、「ミリさん、ありがとう」と、チョコレートでメッセージが書かれてあった。わざわざお店の方に頼んでくださっていたのだ。

「しまった、デザートしか見てなかった！」

こんなに大きなメッセージを見落とすなんて、いかがなものか？　真っ赤になって謝ったところ、

「甘いもの、本当にお好きなんですねぇ」

と爆笑される。わたしもしばらく笑いが止まらず、腰につけた万歩計が揺れていたのだった。

究極のデザートについて

究極について考える。
わたしにとっての究極のデザートとは、いかなるものなのか。

どこそこの◯◯まんじゅう、とか
どこそこの◯◯パフェ、とか
どこそこの◯◯ケーキ、とか

もはや、そのような商品名ではなく、〈好物の甘いものたち〉が集結した一皿ということとになるのは間違いない。

まずは生クリーム。あんこならば、こしあんより、断然、粒あん。

それから、チョコレート。チョコレートソースとして使うより、固形のほうが好みである。

わらび餅、というのもいい。葛《くず》もいい。しかし、プリンやババロア、ムース、ゼリーといったたぐいには、それほど惹かれない。チーズケーキは、「レア」にしても、「焼き」にしても、若い頃に食べ過ぎたせいか、ちょっと飽きている。

アイスクリームをデザートの横に添えるのは好みじゃない。特に、熱いデザートとのからみ。クレープやワッフルなどにのせて溶かしながら食べるのはそそられない。

クレープといえば、街中のクレープ屋さんのクレープ生地がパリパリ過ぎるのが気がかりである。しっとりやわらかいのが本来のクレープではあるまいか。しっとりタイプのクレープと、あとはパンケーキもおいしいと思う。バームクーヘンも。

バターたっぷりのクッキーも好きだ。分厚くてほろほろするガレットならば特によい。

マドレーヌよりフィナンシェ。キャラメルよりヌガー。タルトよりスコーン。黒豆よりきなこ。ラスクよりデニッシュ。シュークリームよりドーナッツ。誤解のないよう記《しる》すが、「選ぶなら」の話で、基本的にはどれも食べる。

果物はどうか。

酸味より甘みが重要だ。桃、柿、バナナ、メロン、梨、マンゴー、マスカットなど。レモンのお菓子には反応しない。

ナッツは甘いものではないが、甘みがないこともない。マカデミアナッツ、ヘーゼルナッツ、ココナッツ、くるみなどは、ホテルの朝食ビュッフェにあれば、大量にヨーグルトに投入する。デザートの大切なアクセントなので外したくない。

忘れてならないのが、栗だろう。

できるだけ素朴な食べ方がよい。栗と砂糖だけで作った「くりきんとん」とか。甘露煮やマロングラッセは、あれば食べるが、なくても大丈夫（知るか！）。

さぁ、これでどんな究極のデザートができるのだ？　量が多ければいいというわけではないので、ほどよいサイズに収めてほしい。

まったく想像がつかない。食べ物として成立するのだろうか……。

「あなたの食べたいデザートを有名パティシエが作ってくれるプレゼント」

みたいなキャンペーンがあれば、シールを集めて応募したい。

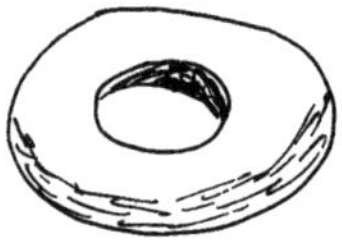

忘年会

振り返ってみれば、やはり、のんびりした会だった。忘年会の話である。

毎年、一年のおわりに仲の良い友人たちと集まるのだが、昨年末は六時にスタートし、七時に終わった。時計の針がぐるりと一周、一三時間である。

毎度、男女七〜八人。今回は久しぶりに全員参加で九人。まずは夕方からお鍋を食べた。駅からすぐの安い居酒屋。二時間の飲み放題コースだったので、八時半には一軒目を後にした。

一旦、お茶の時間。ホテルのカフェは高いけれど、渋谷という場所柄、空いているのはここくらい。なので、ちょっと贅沢し、高級なコーヒーを飲みつつ、しばし歓談。

いよいよ、恒例のプレゼント交換会である。予算はひとり千円。アミダくじで決める。

何年か前に、しいたけの栽培セットがプレゼントになっていて、

「それいらない～」

と、大笑いしていたのだけれど、のちに、当たった子から、

「しいたけが百個くらいできた！」

という報告を受け、みなで羨ましがったものである。今回は栽培セットはなく、わたしは鯛の形の小皿をあげ、きれいなハンドタオルを二枚もらった。

ホテルのカフェを出たのは一二時前。明日から帰省するという子がひとり帰った。

「よいお年を！」

さて、次はどこ行こうか。ブラブラ歩いて決めよう。

「この焼き鳥屋さんは？」

入ってみれば満席。じゃ次行ってみよう。

真冬の空の下。中年たちが当てもなくさまよっている。電話で店の確認をすることもできるのだが、なんだかテキパキしたくない。「満員です～」と言われるのをどこかで楽し

んでいる。おしゃべりしながら、さまよいたいのである。

しばらく歩いて適当な居酒屋に入り、店を出たのが午前二時。

「じゃ、ま、ここはやっぱりカラオケですな」

五時間歌って表に出れば、当たり前だが朝が来ていた。駅に着いても話し足りず、寒い寒いと言いながら、立ち話。一本締めして、ようやく解散した。

酉《とり》の市

昔からの知り合い数人と、浅草、酉の市へ。商売繁盛の縁起物、熊手を買いに行くことに。

以前は、毎年、みんなで行っていたのだけれど、ここ何年かはそれぞれになっていた。久しぶりの再会である。

夕暮れ時。観光客でにぎわう雷門前に集合。

土産物屋が並ぶ仲見世を抜け、浅草寺をまわって、鷲《おおとり》神社へ。

酉の市の行われている鷲神社は「おとりさま」と呼ばれているそうで、道を歩いていると、「おとりさまはこちら」という案内板に何度も出くわす。そして、何度見ても、わたしは「おひとりさま」と読んでしまい、ひとりで来ている人には、なにか特別な道があるのかな、と一瞬、考えるのだった。

酉の市で小さな熊手を買う。小判や、米俵など、めでたいものが付いている。浅草寺でひいたおみくじは凶だったけれど、よしとしよう。

「ね、お好み焼き食べに行かない？」

「いいね、いいね」

その足でお好み焼き屋さんへ。おしゃべりしながらお腹いっぱい食べた後、お茶でもしようとみんなで夜の浅草を歩いた。観光客でにぎわっていた通りも、しっとり落ち着いている。

「シフォンケーキがおいしいお店があるんだけど、まだ食べられる？」

「大丈夫。シフォンケーキって空気みたいなもんだし」

残念ながらシフォンケーキのお店は閉まっており、(ついでに言うならシフォンケーキは空気ではない)、別の喫茶店でコーヒーゼリーを食べつつ、またまたおしゃべり。温泉の話、体調の話、おいしいものの話。みんな言いたいことがいっぱいで、常に会話がかぶっていた……。

お墓の話も出た。

「お墓とか、どうなるんだろうなぁ」

と、わたしがつぶやいたところ、

「うちのお墓、空いてるよ」

「友だちが入っていいの？」

「よい、よい」

するともうひとりも、

「あ、うちもよかったら。文句言う人いないし」

え、お墓って、こういう感じ？　不謹慎だが、ちょっと愉快になってしまった。

毎度毎度、顔を合わせていなくても距離はすぐに縮まっていく。浅草駅で「またね！」「元気でね！」と抱き合って別れた。

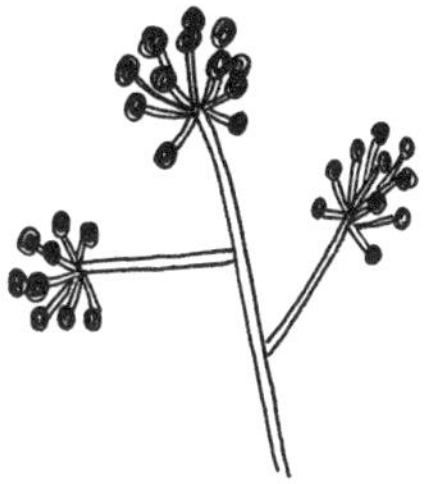

V

桜日記

毎年、桜の季節はそわそわする。できるだけたくさんの桜が見たいのである。桜を見て、「きれいだなぁ、今年も見られたなぁ」と思いたいのである。

今年もいろいろと見て来た。仕事の打ち合わせの後に、ひとりで谷中霊園にも行った。谷中霊園は広々とした都立の霊園で、桜の名所にもなっている。園路に立派な桜並木があり、両端からアーチをつくってピンクの花がふわっと空を覆っていた。平日の夕方だったので、多くの人はおらず、静かなお花見である。

わたしが見ている桜と、数メートル先でサラリーマン風の男性が見上げている桜。同じ桜を見ているけれど、同じ桜ではないのだと思った。

幼稚園の通学路で母と一緒に見た桜。少し大きくなって、好きだった男の子と歩いた桜の遊歩道。会社員をしていた頃、昼休みに同僚たちとお弁当を食べながら見た公園の桜。さまざまな思い出がミックスされ、自分だけの桜の景色が見えているように思えた。

この人はどんな桜を感じているんだろう？

すれ違う人の心のうちを想像しながら、ゆったりと歩いた。

そして、ゆったりとしつつも、心はどんどん食べ物のほうへ……。

この近くに、おいしいたまごサンドイッチが食べられる喫茶店があるんだったなぁ。ゆでたまごをつぶしたのをはさむタイプではなく、できたて熱々のたまご焼きのサンドイッチ。

今、気づいたようなふりをして、来る前から寄ろうと決めていたのである。

桜も見たし、そろそろお店に行くとするか。

ちょうど一席空いていた。コーヒーとたまごのサンドイッチを注文したあと、ドキリとする。

しまった、サイフに小銭しか入ってなかったんだ！

レトロな喫茶店。カードは使えないかもしれない。
テーブルの下でサイフの中をそーっと見たら千円あった。よかった、なんとか足りる。
それにしても、大人のくせして小銭しか持たずに電車に乗ってきたなんて。この思い出も
また、わたしの人生の桜日記に追加されたのだと思う。

怖いお店

仕事の打ち合わせを兼ねて晩ご飯。レストランを出たのが一〇時前だった。まだ早いし軽く運動でもして帰ろうということになる。

なににしよう？

仕事先の中年男性とともに頭をひねる中年女性のわたし。

「ダーツはどうですか？」

「あ、いいですね！　ルール知らないけど」

ダーツを運動と呼んでいいのかどうかはわからぬが……とりあえず携帯電話でお店を検索。近くに一軒見つかり行ってみることに。

店は雑居ビルの六階だった。エレベーターで上がっていくものの、店内がどんな雰囲気かはわからない。

「わたし、エレベーターのボタン押したままにしときますから、様子見てきてください」

「了解！」

偵察に行った彼がこちらを振り返り小声で状況報告。

「店の中がまったく見えません」

「耳あてて、音聞いてみたら？」

って、なにこれ、探偵ドラマ？

「マスダさん、若者たちの声が聞こえます。いっぱいいる模様です」

「撤収！　撤収！」

逃げるように退散するわたしたち。

若者のお店が怖いのである。その怖さとは、無理して若者ぶっていると思われるのではないか？　という恥ずかしさから湧いてくるものなのだろう。

そういえば、プリクラだって近ごろはとっても敷居が高い。

先日も、友人たちと食事の後に、

「プリクラしよう！」

盛り上がりゲームセンターに行ったはいいが、機械の操作にまごつく。やっとこさ撮影できても、今度はどこから写真が出てくるのかがわからない。ここかな？　と思うところで待機していたら、反対側の機械からツッツッツと写真が出てきて、

「ヤバイ、見られちゃう！」

みんなで大慌て。

まだまだ遊びたいのに、遊びの輪からはじき出されてしまった。でも、あきらめきれずに若者のまわりをうろついているのである。

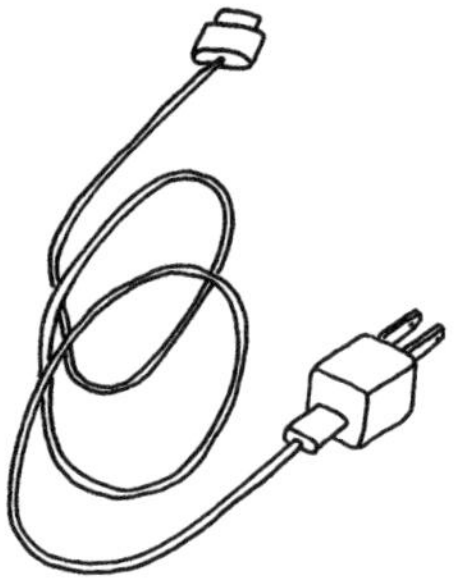

入店前、入店後

たまには洋服を新調しようと百貨店に入る。

のぼりエスカレーターの手すりにつかまり、ふと脇の鏡に映っている自分の顔をながめてみた。

うーん、なんか、古い。

どこがどうとは言えないのだけれど古くさい。他の買い物客の女性たちと比べてみると、化粧が今っぽくないのである。

ほお紅の色のせい？　それとも口紅か？　自宅で仕事をしているので、普段は素顔のまま。化粧品はなかなか減らず、流行色がどうこうより、残っているものを使いつづけているだけ。これで最新のメイクができるわけがなかろう。

今日は洋服ではなく、新しい化粧品を買うことにしよう。

くだりエスカレーターに乗り換え、一階の化粧品売り場へ。今っぽくなるため、若者のお客が群がっている店に静々と入る。

「あの、口紅を買いに来たんですけど、選んでいただけますか？」

明るく、ていねいに。優しくしてもらいたいのである。

こちらへどうぞと、鏡の前の席に案内される。今っぽいメイクの若い店員さんだった。

口紅をとっかかりにして、すべてのメイクをやりなおしてもらったところ、入店前より口紅の色は控えめになり、眉毛は太くなり、ほお紅は明るいピンク色になった。それから、二色のアイシャドウと、アイライナーで目元をくっきり。

「お客さま、いかがですか？」

「あ、はい、いいと思います」

よし、これ全部買っちゃおう。「大人買い」という言葉にグイグイと背中を押される。

会計が終わり、化粧品を紙袋に入れはじめた店員さんに慌てて声をかけた。眉毛用、アイシャドウ用、アイライナー用。化粧の筆がこんがらがらないよう、それぞれ小分けにしてもらわなければ。似たように見えても用途が違うようなのである。

「あの、わたし、今っぽくなりましたかね？」

最後に店員さんに聞くと、

「はい、今っぽいです！」

とのことだった。

どこかおかしい

定期的に歯科検診を受けている。

四カ月に一度、歯医者さんで診《み》てもらい、次回の予約を取って帰るというのを、かれこれ三年はつづけている。

「次の予約ですが、いつになさいますか?」

受付で聞かれ、四カ月後のカレンダーを見る。来年二月の予定など何もないのではあるが、とりあえずバレンタインデーは外しておこう。

「じゃあ、この日で」

予約をして、歯医者さんを後にした。

明るい気持ちだった。歯石もきれいにとってもらった。舌の先で歯をなぞればツルツルである。

こんなにきれいにしてもらったんだから、しばらく何も食べたくないなぁ〜。

と、思えればダイエットになるのだろうけれど、虫歯がなかった安堵感もあり、無性に甘いものが食べたいのである。

久しぶりにホットケーキ屋さんに行こう！

夕方、六時。夕飯前に食べるふわふわのホットケーキ。大人だから、何時におやつを食べたって誰にも叱られない。焼けるのを待っていた時間より、食べ終える時間のほうが短く、満足、満足、と表へ出る。途中、スーパーで新しい歯ブラシを買い、ゆっくり家へと歩きはじめた。

街の様子がどこかおかしい。

なにかが違う。

なんだ、なんなのだ？

信号が青になったのに、渡らない人もいる。みんな上を見ている。

そうだった、今夜は月蝕なんだった。人々が夜空を見上げながら歩いていた。玄関先に出て、写真を撮っている人もいる。

わたしは急に切なくなって、そして、無性に悲しかった。失った永久歯が二度と生えてこないように、同じ夜空も二度とこないのだ。歯も人生も、どちらも大切にしなければ。

この月蝕、家のベランダからコーヒーを飲みつつ眺めるのもいいなぁと、途中から振り返らずに急いで帰った。温かいコーヒーを手にベランダに出てみれば、月はもう雲の中だった。

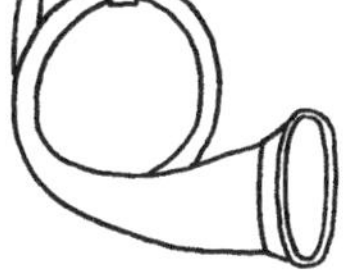

小腹がすいたら

痩せたいなぁとお腹をさすりつつ、甘いものを食べてしまう。今の季節なら栗のデザート。大好物なので、街を歩いていても「栗」という文字だけが浮かび上がって見え、店先に吸い寄せられていく。

「栗きんとんください」

ついつい、お財布に手が伸びている。

しかしである。

最近、人に撮ってもらった自分の写真を見て、思っている以上にふっくらしていることに気がついた。お腹だけかと思っていたら、顔まわりにもぷくぷくと肉がついている。

どうしたものか。

どうもこうもない。

痩せよう。

目標三キロ。いや、とりあえず二キロ。甘い系の間食を控える作戦である。

小腹がすいたときに、ナッツ類やドライフルーツをつまむと我慢できると誰かが言っていたのを思い出し、早速、アーモンドを買って持ち歩くことにした。

わかってはいたが、アーモンドはおいしい。一粒、二粒食べるつもりが、毎度、ぽりぽりと五〜六粒。

「今ね、痩せようと思ってさ、小腹がすいたらアーモンド食べてる」

久しぶりに会った女友だちに報告したところ、大笑いされた。

「ミリちゃん、それ大きすぎ」

アーモンドを入れて持ち歩いているプラスチックの容器を見せたら、子供の弁当箱くらいある、とのことだった。

ノージェスチャー　ノーライフ

ノーベル賞の晩餐会のディナーを食べ損なったことがある。

女友だち三人とスウェーデン旅行をしたとき、同じメニューを出すレストランがあるというので、現地の日本人ガイドにお願いして予約してもらったのだ。

予約後、フルコースを食べるほどの食欲がないことに気づいた。旅も終盤。みな、連日の外食に疲れていたのだ。お腹も減っていないのに、二万円の夕食というのももったいない。

キャンセルしようか。でも、なんて説明する？　そうだ、お腹が痛くなったって言えばいいんじゃない？　俗にいう仮病である。

日本人ガイドは帰ってしまっていたので、レストランの予約を取り消すための電話は、ホテルのフロントの女性にお願いした。

「痛い、痛い、お腹が痛くてディナーに行けません、レストランにキャンセルの電話をしてください」

わたしたちは英語ができなかった。「痛い、痛い」は身振り手振り。フロントの女性がキャンセルの電話をしてくれた。伝わったようだった。そして苦笑いしていた。

身振り手振りといえば、スペインでこんなことがあった。

女友だちとのふたり旅。バルセロナに到着したのは夜だった。空港には現地の日本人ガイドが迎えに来てくれていて、ホテルのチェックインまでをお手伝いしてもらうことになっていた。

ホテルに到着すると、部屋がなかった。ガイドいわく、予約していたのに、満室なのだそうだ。近くに同等クラスのホテルがあるので、今夜だけはそちらに宿泊してほしいとフロントマンが言っているらしい。仕方がない。行ってみれば、うらぶれ、すすけた、おんぼろのホテルだった。

翌日からは、当初のホテルに戻ることができたのだが、昼間改めて見れば、こちらのホテルはツアーパンフレットの写真通りの小綺麗なホテルだった。

わたしたちはフロントで抗議した。相手はスペイン語、こちらは日本語。そこに共通の言語は存在しなかった。身振り手振りがすべてである。

「昨日のホテルは同等クラスではなかった、おんぼろホテルだった、わたしたちは傷ついている、おわびとして、このホテルで今夜開催されるフラメンコショーを無料で見せてくれるというのはどうか」

人はこれを、言葉を使わずに説明できるのか。

できたのである。「傷ついている」のところでは胸をおさえて苦しげに。「フラメンコショーを無料」のところは踊ってみせた。すべて伝わったときは、感無量だった。おまけに、身振り手振りには入っていなかった、「部屋に白ワインを一本届ける」というサービスまであった。白ワインは譲り合った結果、友が土産に持って帰った。

自分の長さ

男性と違い、女性は日に何度もトイレットペーパーを使用するようなからだの仕組みになっている。(小)にも紙がいるのだった。

さて、その(小)の場合、トイレットペーパーを何センチくらい使っているものなのか。もしかすると、とっくに平均値が発表されているのかもしれない。しかし、わたしが本当に知りたいのは、「自分の長さ」のような気がしてきた。

ここまで書いたところで、トイレに向かう。

そして、今、もどってきた。未使用のトイレットペーパーが机の上で所在なげにしている。

（小）をする心づもりで、ズボンをはいたまま便座に座り、いつもの調子でトイレットペーパーをちぎってみた。トイレットペーパーをものさしで測ってみるという前提なので、やや、ぎこちなかったかもしれない。右手でひゅっと伸ばして、左手の人差し指に助けられつつ、くるりと一回転。最後は右手でビリリ。己のみが知る、手さばきである。

早速、測ってみたいところだが、ふと、疑問が湧き上がってきた。

「ものさし」と「定規」は、どう違うんだろうか。

わたしの机には、『三省堂　類語新辞典』がいつでもスタンバイしている。「勉強のできる子供は、机の上の手の届くところに辞書が置いてある」。中学生のときに誰かが言っていたのを覚えていて、三十五歳を過ぎたあたりから実践するようになった。

『三省堂　類語新辞典』によると、「ものさし」は長さを測る道具で、「定規」は直線や曲線を引くのにあてがう用具、とあった。要するに、測ると引くの違いである。

「ものさし」でさきほどのトイレットペーパーの長さを測ってみる。机の上に横に伸ばしたトイレットペーパー。こうして見れば高級感すらある。小さな絵巻物に使う和紙みたいだ。

長さはすぐに判明した。だからどうだという気もするが、今日を境に、トイレの中で思い浮かべる、自分だけの数字を手に入れられたともいえる。

こうなったら、やはり友人たちと比較してみたい気もする。

いっせーの、
で、全員、ちぎってきたトイレットペーパーをテーブルの上に並べるのだ。似たり寄ったりならばいいが、極端に長い、あるいは短い場合、どう声をかけるべきか。

「足りる?」

「あまらない?」

母親と比べてみるというのも興味深いかもしれない。育てた人と、育てられた人。紙の長さはどう違うのか。

わたしのがとても短かった、ということもあり得るわけだが、ずっとこの長さでやってきたのだから、間違っていないという自負もある。たぶん、みんな、そうなのだろう。

フォアローゼス

なにを飲んでいいのか決めかねている。お酒の話である。

お酒は強くない。飲むとすぐに顔に出て目まで充血する。自力では封じ込めないので、赤い顔で、目を血走らせて座っている。食事の席では、ビール一杯を二時間くらいかけて飲んでちょうどいいというところ。量が増えると、眠くなり、横になりたくなる。

デパートの食堂街などに入ると、壁に「一口ビールあります」という紙が貼ってあったりする。わたしにしてみれば五口くらいか。しかしながら、ビール好きなのである。特にキンと冷えた最初の一口。おちょこで出してくれる店がないものだろうか。

ビールといえば、街の酒屋さんの前で試飲缶を配るバイトをしたことがある。ビール会

社のエプロンをつけ、

「辛口、生！　新発売！」

言っている本人はなんのことやらわからなかった。

真夏の夕暮れ。街行くサラリーマンが列をなして飲んで行った。ミニ缶だったので、たいていグビッと一口。人になにかをあげるのは、とても気持ちがよかった。人間の快楽のスイッチはいろんな場所についているのだなと、そのとき思ったのである。


ビールのアルコール度数は五パーセントほど。ワインはその三倍くらいはあるので、外食先では手を出さない。焼酎になると「割る」ことができるから可としている。

そうなのだ。お酒をなにかで割ればなんとかなるのだ。

たとえば、カシスソーダ。リキュールを炭酸水で割っている比較的、軽めのカクテルだ。食事中、ビールなら一杯だが、カシスソーダなら二杯飲む用意がある。

だが、ここにも問題がある。そういう甘くて赤いカクテルは、キラキラした若い女の子たちが飲んでこそ輝くお酒なのではないだろうか……。

たとえば、シックなバーに行くことになったとしよう。シックな男性にエスコートされる、シックな夜である。

すすめられ、カウンターに腰掛ける。ジャズなんかが流れているのかもしれない。予定もないのに自問する。さぁ、その時、キラキラしていないお前はなにをオーダーするのだ？

カシスソーダ（不可）

芋焼酎お湯割り（不可）

ビールで逃げ切るか。答えは出ぬまま、ある夜、食事の後に友人たちとバーに寄った。昭和レトロな雰囲気のバーである。友人たちは、ビールや、ジントニック、ハイボールを頼んだ。なんと、当たり障《さわ》りのないチョイスなのだろう。そういうわたしもビールである。

しばらくして、隣に女性ふたりづれが座った。ロングヘアの彼女が言った。

「フォアローゼスをソーダ割りで」

わたしは心のメモ帳を開き、フォアローゼスのソーダ割り、と書いた。忘れないよう三回書いた。

家に帰ると、パソコンで「フォアローゼス」を検索する。名前の由来を知り、舞い上がった。

フォアローゼスの生みの親である男が、舞踏会で絶世の美女と出会った。彼はすぐにプロポーズする。女は言った。次の舞踏会にバラのコサージュを付けてきたらＯＫのサインだと。そして、次の舞踏会の夜。女は胸に四輪のバラを付けてやってきた。フォアローゼスは、その四輪の真紅バラから名づけられたお酒なのだそうだ。

わたしはパソコンの前で目を閉じた。

シックなバーで、シックな男性と飲むフォアローゼス。

「ねぇ、このお酒、どうしてフォアローゼスって言うのか知ってる？」

わたしはもったいぶって微笑むにちがいない。

しばらくして、落ち着いたバーに行く機会があった。カウンター越しに夜景が見えた。シックと言えなくもない。打ち合わせの後だったので仕事先の男性というのが味気ないが、例のアレを試してみる絶好のチャンスである。

知ったかぶってオーダーした。

「フォアローゼスをソーダ割りで」

カウンターの中のバーテンが言った。

「ブラックでよろしいですか？」

「え!?」

フォアローゼスに種類があることまでは勉強不足だった。飲む前から真っ赤になった。

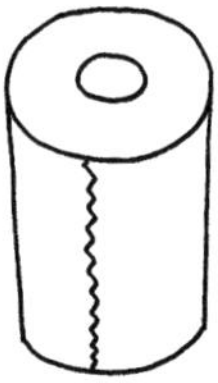

ぐいぐい界の人々

たまに水の中を歩いている。スポーツジムのプールでの話だ。

プールには、歩く人専用のレーンが二本用意されている。一本は、ゆっくり歩く人用。となれば、もう一本は速く歩く人用であるのだが、見ているかぎり、スピードは同じくらいである。みな、空いているほうを選んでいるのだと思われる。

ときどき、速い人用のレーンを、ものすごくゆっくり歩いている人がいて、さすがに距離がつまってくる。しかし、「追いこし禁止」なので、途中でくるりと方向転換して調整しなければならなかったりする。そうすれば済むことなので、別にイライラはしない。

水の中を歩く。

考えてみれば、なんかヘンだ。

胸の辺りまで水につかっている。そして歩いている。水圧があるので、いつもの歩き方とは違う。のっしのっしと、ありえないほど大股である。街中でこんなふうに歩いたらギョッとされるだろうし、まず足がつるだろう。

水の中を大股で歩いているとき、人はなにを考えているのか。

そう思いながら歩いているわたしの前を歩いている初老の女性もまた、「みんな、なにを考えているのかしら」と思いながら歩いている可能性もある。

「だいぶカロリー消費したかナ～」

あるいは、

「冷えてきたし、トイレ行きたいワ～」

だったりもするかもしれない。わたしがもっともよく考えていることである。

レーン内は右側通行になっている。往復していると、当然、あちらから来る人とすれ違う。すれ違う瞬間、水の波動がまざりあって、ちょっとよろけそうになる。

「そろそろよろけるぞ～」

と、思って歩いている瞬間が、みんなにもあるのかもしれない。

歩くレーンの他に、もちろん泳ぐレーンがある。

泳ぐレーンにも種類があり、ゆっくり泳ぐ人、あるいは途中で立ってしまう人用。まあまあ泳げる人用。ぐいぐい泳げる人用のレーンもある。

ぐいぐいレーンの人々。

彼らはピラミッドの頂点だ。特に、歩く界の住人であるわたしからすれば、超・超エリートである。遠すぎて、どんな人たちがいるのかはよく見えない。歩くレーンが左端ならば、エリートたちのレーンは、真逆の右端である。

ぐいぐい界の人々の泳ぎは、とにかく水しぶきがあがっていない。すぃーすぃーとイルカのようだ。

それに比べて、ゆっくり泳ぐ人用レーンは、全体的にバシャバシャしている。たかが息継ぎひとつで、顔を上げすぎなのだ。まるで命がけではないか……。しかし、わたしが泳ぐ場合も、当然、このレーンなので、そっと応援している。

気になるのが、まあまあ泳げる界の人々だ。彼らは、この先、どうしたいのか。どうもしたくないのか。大きなお世話なのか。

水中ウォーキングは、いつも二〇分くらいするよう決めているので、ときどき壁の時計で時間を確かめる。時計の下には、ジムの監視係が立っている。あまり頻繁にそちらを見ると、「なにか言いたいことがある人」になりそうなので、そういうときは、ウエストをひねりながら歩く。ひねった瞬間にチラッと見る。時計を。すぐにやめると不自然なので、しばらくひねっている。陸の社会も大変だが、水の中でも人間はいろいろと考えているのである。

あとがき

わたしの小さな仕事部屋には、机がふたつあり、南側には文章を書く机、北側には漫画を描く机。キャスター付きの椅子はひとつだけで、その椅子に座ったまま、ふたつの机の間を行ったり来たりしています。

クルッと回って机を手で押し、もう片方の机にスススー。

その一メートル五〇センチほどの距離の間に、軽い気分転換ができるという特技がわたしにはあるのでした。関係ないかもしれませんが、寝付きもとても良いです。

南側の机にて
益田ミリ

本書は、朝日新聞連載「オトナになった女子たちへ」（二〇一二年一〇月七日～二〇一五年二月二二日）に加筆、修正を加えたエッセイと、一〇本の書き下ろしエッセイを収録し、再構成しました。

益田ミリ（ますだ・みり）

1969年大阪府生まれ。イラストレーター。主な著書に、『ほしいものはなんですか？』『みちこさん英語をやりなおす』（以上、ミシマ社）、『女という生きもの』（幻冬舎）、『沢村さん家のこんな毎日』（文藝春秋）、『泣き虫チエ子さん』シリーズ（集英社）、絵本『はやくはやくっていわないで』（第58回産経児童出版文化賞受賞）『だいじなだいじなぼくのはこ』『ネコリンピック』（以上、平澤一平・絵、ミシマ社）など。『すーちゃん』シリーズ（幻冬舎）は2012年に映画化された。

そう書いてあった

二〇一五年五月九日　初版第一刷発行

著者　益田ミリ

発行者　三島邦弘

発行所　㈱ミシマ社

郵便番号一五二-〇〇三五
東京都目黒区自由が丘二-六-一三
電話　〇三(三七二四)五六一六
FAX　〇三(三七二四)五六一八
e-mail hatena@mishimasha.com
URL http://www.mishimasha.com/
振替　〇〇一六〇-一-三七二九七六

印刷・製本　(株)シナノ

組版　(有)エヴリ・シンク

ISBN978-4-903908-61-8

好評既刊

ほしいものはなんですか？

益田ミリ

「このまま歳をとって、“何にもなれず”終わるのかな…」

悩める二人の女性に、一人の少女が大切なものを運んでくる——。
アラサー、アラフォーを超え、すべての人に贈る傑作漫画!!

ISBN978-4-903908-18-2　1200円

みちこさん英語をやりなおす

——am・is・areでつまずいたあなたへ

益田ミリ

もう、「わかったふり」はしない。

英語に挫折してきた人たちに贈る「英語入門の前に読む入門書」。
時間をかけて学ぶと、日本語も、人生も、再発見できる!!

ISBN978-4-903908-50-2　1500円

ネコリンピック

益田ミリ（作）　平澤一平（絵）

こんな大会、待ってたんだにゃ～

よ～いどんで走らなくていいんだってにゃ～。みんなメダルがもらえますにゃ～。贈り物にもおすすめ！　老若男女に人気の絵本。

ISBN978-4-903908-56-4　1500円

（価格税別）